Alquimia

Stanislas Klossowski de Rola

Alquimia

El arte secreto

Editorial Debate

Primera edición: marzo 1989

Versión castellana: ROSS SMITH y ANA CUADRADO

Published by arrangement with Thames and Hudson, London.
Editor general de la serie: Jill Purce.

Título original: *Alchemy*

© 1973, Thames and Hudson Ltd, London

© de la edición castellana: Editorial Debate, S.A., Zurbano, 92, 28003 Madrid

ISBN.: 84-7444-327-X

Depósito Legal: M-6232-1989.

Compuesto en Imprimatur, S. A.

Impreso en Unigraf, Arroyomolinos, Móstoles (Madrid)

Impreso en España

Printed in Spain

Introducción   7

Ilustraciones   31

Ilustraciones documentales con comentarios   97

Introducción

Este libro intenta explicar, de una forma resumida, en qué consistió, y consiste, la auténtica alquimia. La mayoría de los diccionarios modernos ha contribuido a reforzar una serie de errores comunes, rechazándola por considerarla una predecesora inmadura, empírica y especulativa de la química, con el único objetivo de transmutar los metales comunes en oro. Aunque es cierto que la química se desarrolló a partir de la alquimia, estas dos ciencias no tienen apenas nada en común. Mientras que la química se ocupa de los fenómenos científicamente verificables, la misteriosa doctrina de la alquimia atiende a una realidad escondida de orden superior que conforma la esencia que subyace a todas las verdades y religiones. La perfección de esta esencia se denomina Absoluto; puede ser percibida y comprendida como la Belleza de toda la Belleza, el Amor de todo el Amor y lo Más Alto de lo Alto, sólo con que la consciencia cambie profundamente y pase del nivel normal de percepción cotidiana (el plomo) a un nivel sutil de percepción (el oro), de manera que cada objeto se perciba con la forma arquetípica perfecta, contenida dentro del Absoluto. La percepción de la perfección eterna de todo en todos los lugares es lo que constituye la Redención Universal. La alquimia es un arco iris que atraviesa el abismo que existe entre el plano terrestre y el celestial, entre la materia y el espíritu. Al igual que el arco iris, puede parecer que está a nuestro alcance, pero si se corre tras ella con el único objetivo de encontrar una montaña de oro, se alejará.

La ciencia de la alquimia, sagrada, secreta, antigua y profunda, también denominada arte real o sacerdotal y filosofía hermética, esconde tras textos esotéricos y emblemas enigmáticos las vías para penetrar en los secretos más profundos de la naturaleza, de la vida y la muerte y de la unidad, la eternidad y el infinito.

A la vista de tales secretos, el de fabricar oro tiene, relativamente, poca importancia; se podría comparar con los superpoderes (siddhis) que a veces consiguen los grandes yoguis; estos poderes no se buscan por el valor que en sí tengan, son importantes productos secundarios que resultan de alcanzar un alto nivel espiritual.

Empezaremos, por lo tanto, fijándonos en qué era realmente lo que los alquimistas pretendían conseguir. «La alquimia no es simplemente un arte o una ciencia que enseñe a realizar la transmutación de unos metales en otros, sino más bien una ciencia sólida y verdadera que enseña a conocer el centro de todas las cosas, lo que en el lenguaje divino se llama el Espíritu de la Vida.» (Pierre-Jean Fabre, *Les Secrets chymiques*, París, 1636.)

Sin embargo, el proceso de la transmutación, a pesar de no ser el objetivo final, es una parte esencial de la Gran Obra —el *Magnum Opus*— que consiste en lograr tanto la realización material como la espiritual. A menudo los estudios sobre alquimia pasan por alto este hecho. Algunos comentaristas afirman que la alquimia es una disciplina absolutamente espiritual, mientras que otros sólo parecen estar interesados en descubrir si realmente se fabricaba oro y quiénes eran los que lo fabricaban.

Ambas actitudes dan lugar a interpretaciones erróneas. Es esencial tener en cuenta que existen correspondencias muy concretas —fundamentales para las teorías alquimistas— entre lo visible y lo invisible, lo superior y lo inferior, la materia y el espíritu, los planetas y los metales. El oro, dada su naturaleza incorruptible y sus notables características físicas, es para los alquimistas el sol de la materia, una analogía de la perfección final que ellos intentan conseguir al hacer que los metales comunes alcancen el bendito estado del oro. Al igual que el oro es también, en cierta medida, la sombra del Sol, el Sol es la sombra de Dios.

«La Gran Obra consiste, por encima de todo, en que el hombre se cree a sí mismo, es decir, que domine total y absolutamente sus facultades y su futuro; es especialmente la completa emancipación de su voluntad lo que le asegurará el dominio sobre Azoth y la región de Magnesia; en otras palabras, el control absoluto del Agente Mágico Universal. Este Agente, al que los antiguos filósofos disfrazaron con el nombre de Materia Primera, determina las formas que muestran las sustancias modificables; a través de él, podemos muy bien llegar a la transmutación de los metales y a la Medicina Universal.» (Eliphas Levi, *Transcendental Magic,* Londres.)

A lo largo de la historia, los verdaderos alquimistas, que desdeñaban las riquezas y los elogios mundanos, han intentado encontrar la Medicina Universal, la Panacea; esa Panacea que, al sublimarse totalmente, se convierte en la Fuente de la Juventud, en el Elixir de la Vida y en la Llave de la Inmortalidad, tanto en un sentido espiritual como misteriosamente físico. El Elixir no sólo curaría las enfermedades, eliminando de raíz las causas que las producen, sino que también podría hacer que el cuerpo rejuveneciera y se convirtiera finalmente en un «cuerpo de luz» incorruptible.

El Adepto *(adeptus,* «el que ha conseguido» el Don de Dios) recibiría entonces la triple corona de la Iluminación: Omnisciencia, Omnipotencia y Gozo del Amor Divino Eterno. Pero muchos son los llamados y pocos los elegidos; hay que reconocer que dentro de esta minoría muy pocos han conseguido alcanzar el último objetivo. Los que sí lo han hecho constituyen la Hermandad de la Luz y están Vivos.

Antes de obtener el Elixir, el alquimista tiene que vencer todos los obstáculos y dificultades que se le presentan en el complicadísimo proceso que culmina con la creación de la Piedra Filosofal. Esta es la Piedra, pues así se llama, que tiene la propiedad de transmutar los metales comunes en oro. Por consiguiente, la mayoría de los tratados de alquimia parecen abordar exclusivamente la preparación de esta Piedra y de otras medicinas de menor importancia.

Aunque llenos de hermosas promesas, estos textos contienen invariablemente gran número de complicadas estratagemas, que tienen como fin desalentar a los frívolos. Están escritos con un lenguaje a menudo tan oscuro e inaccesible que su estudio requiere años y años de absoluta dedicación; hay que leerlos una y mil veces antes de poder entender su exégesis. Este carácter secreto constituye una de las bases de la alquimia, e incluso los alquimistas modernos hacen gala de ello.

Tanto los escépticos como los creyentes coinciden en afirmar que si los alquimistas hubieran hablado con claridad hubieran sido perseguidos a lo largo de toda la historia por mantener unas ideas y creencias que no eran las convencionales. En lo que sí discrepan es en que los primeros niegan que la alquimia tenga unas bases prácticas, rechazando su carácter de ciencia oculta por considerar que es un velo que encubre la ignorancia y los segundos afirman que este carácter oculto era en cierto modo necesario para asegurar que el conocimiento de estas fuerzas ingentes no cayera en manos equivocadas.

Sin embargo, la oscuridad de los textos alquímicos se debe también a otras razones: constituyen un desafío para aquellos que, por su naturaleza heroica, intentan «conocer su interior». Al igual que Teseo, el interesado se enfrenta al Laberinto. Este Laberinto desafía a la lógica lineal, que en este contexto carece de utilidad. El ataque a la lógica lo lleva a cabo el Minotauro del absurdo, que muy pronto reducirá a la nada al supuesto héroe, que se ve incapaz de resistir su ataque. Solamente por medio de la intuición y la inspiración —el hilo de oro de Ariadna— se resolverá el enigma y la luz sucederá a la oscuridad. Tales métodos, con los cuales se superan y se trascienden las limitaciones de la mente, son utilizados por los maestros de muchas disciplinas espirituales y esotéricas. Los maestros del Zen, por ejemplo, utilizan los *koans,* una especie de adivinanzas que, al mismo tiempo que desequilibran el intelecto, pueden provocar el *satori* o iluminación.

Pero a pesar de ser enormes las dificultades que presentan las doctrinas esotéricas de Oriente y Occidente, son mucho mayores las que se le presentan al estudioso de la alquimia. Especialmente si lo que pretende es ir más allá de esos análisis superficiales que periódicamente han venido realizando historiadores, psicólogos y otros eruditos.

Si bien es cierto que el estudio de la alquimia a través de los textos resulta verdaderamente desalentador, no lo es menos que el desesperanzado estudioso puede descubrir en las pinturas alquímicas un camino, repleto de maravillas, para penetrar en el corazón de la materia. Y es que los alquimistas, a través de sus imágenes, han expresado de una forma ingeniosa y casi siempre muy bella, cosas de las que nunca llegaron a escribir.

Este lenguaje pictórico, en el que absolutamente todos los detalles poseen un significado específico, ejerce una profunda fascinación sobre el observador sensible. Esta fascinación se produce siempre, independientemente de que las pinturas se comprendan. Si el lector contempla atentamente estas imágenes, es decir, si va más allá de la superficie, apreciará que muchas veces corresponden a una dimensión intemporal que se encuentra en nuestro interior más profundo.

Estas pinturas tan fascinantes muestran un simbolismo polivalente y se prestan a diferentes interpretaciones. Como consecuencia de esto, cada cierto tiempo surgen controversias nada gratas entre los defensores de diferentes interpretaciones, pues cada uno afirma que la suya es la única válida. (Por poner un ejemplo, la forma en que un conocido alquimista rechaza vehementemente en su último libro las interpretaciones de C. G. Jung del simbolismo alquímico es una muestra de intolerancia dogmática y de una estrechez de miras de la peor índole.)

La alquimia no puede reducirse a un solo sistema de pensamiento, ni tampoco a una sola interpretación simbólica, ya que trasciende todos los dogmas y todas las religiones. No se debe olvidar que en un momento u otro, algunas veces alternándose y otras simultáneamente, este arte ha sido practicado por chinos, hindúes, egipcios, griegos y árabes. Todos ellos contribuyeron a darle la forma que, finalmente, presentaba en la Edad Media; a partir de ese momento la llamada evolución del pensamiento alquímico ha sido superficial y en gran medida ilusoria.

La Gran Obra

La primera tarea del discípulo ha de consistir en la búsqueda de la *Materia Prima*. «Su nombre tradicional, Piedra de los Filósofos, nos da una idea bastante clara de esta sustancia, sirviéndonos para comenzar a identificarla. Es realmente una piedra, porque al ser extraída de las minas presenta las mismas características exteriores que el resto de los minerales.» (Fulcanelli, *Les Demeures Philosophales.*) Esta Piedra de los Filósofos, el «sujeto» de este arte, no debe confundirse con la Piedra Filosofal. Dicho sujeto solamente se convierte en la Piedra Filosofal cuando, tras ser transformada y perfeccionada por el arte, alcanza su perfección final y por consiguiente la propiedad de la transmutación.

En la literatura alquímica se dice que la *Materia Prima* tiene un cuerpo imperfecto, un alma constante y un color penetrante, y que contiene un mercurio claro, transparente, volátil y móvil. Esconde en su corazón el oro de los filósofos y el mercurio de los sabios. Ha recibido multitud de nombres, pero nunca ningún alquimista ha revelado públicamente su verdadera naturaleza. Una de las mayores dificultades que presenta la alquimia consiste en identificar esta materia. En los textos alquímicos casi siempre se omite toda la parte que corresponde al principio de la Obra, o se describe de una forma completamente engañosa.

La Obra se prepara y se lleva a cabo utilizando esta única sustancia que, tras ser identificada, ha de obtenerse. Para ello resulta esencial viajar hasta el lugar de la mina y hacerse con el sujeto en su estado bruto. Esto en sí es ya una tarea ardua, y es necesario hacer un horóscopo para determinar cuál es el momento más propicio. La Obra ha de llevarse a cabo en primavera, bajo los signos de Aries, Tauro o Géminis (la época más propicia para comenzar es la de Aries, cuyo símbolo celeste corresponde, en el lenguaje esotérico o críptico, al nombre de la *Materia Prima*).

Como preliminar a la Obra misma, el sujeto debe ser purificado, liberado de los detritos. Esto se realiza utilizando unas técnicas bien conocidas por los metalurgos; se dice, sin embargo, que dichas técnicas requieren mucha paciencia, ingenio y esfuerzo.

Otra operación consiste en la preparación del fuego secreto, *Ignis Innaturalis,* también denominado fuego natural. Los alquimistas definen este fuego secreto o Primer Agente, como el agua seca que no moja las manos y como el fuego que arde sin llamas. Este es un tema que ha dado pie a un sinnúmero de equívocos y confusiones. Pontanus reconoce haberse equivocado en este punto más de doscientas veces. En realidad, esta sustancia es la sal, preparada a partir del cremor tártaro mediante un proceso que requiere gran pericia y un perfecto conocimiento de la química. El proceso incluye la utilización del rocío primaveral, que se recoge de una forma ingeniosa y poética y que a continuación se destila.

Cuando se ha preparado la Materia Prima y el Primer Agente de la Obra, los preliminares se dan prácticamente por finalizados. La *Materia Prima* se introduce en un mortero de ágata (o de alguna otra sustancia de gran dureza), se machaca con el mazo, se mezcla con el fuego secreto y se humedece con el rocío.

La «mezcla» resultante se introduce a continuación en un recipiente herméticamente cerrado o Huevo Filosofal, que se coloca en el interior del horno de Atenor, el horno de los Filósofos.

Este Atenor está diseñado de forma tal que el Huevo puede mantenerse a una temperatura constante durante largos períodos de tiempo. El fuego exterior estimula la acción del fuego interior, razón por la que ha de ser controlado; en caso contrario, aunque el recipiente no se rompa, todo el trabajo se estropeará. Durante la etapa inicial el calor se compara con el de la gallina que incuba sus huevos. (El proceso natural del nacimiento de los pollitos tiene muchos puntos en común con el proceso alquímico.)

Dentro del Huevo los dos principios contenidos en la *Materia Prima* —uno solar, caliente y masculino, conocido como azufre, y el otro lunar, frío y femenino, conocido como mercurio— actúan uno sobre otro.

«Entonces, estos dos (a los que Avicena llama la perra Corascene y el perro armenio)» —escribe Nicolas Flamel— «estos dos, digo, al colocarlos juntos en el recipiente del sepulcro, se muerden de una forma cruel y por su fuerte veneno y terrible ira nunca se sueltan desde el momento en que se agarran (si el frío no lo impide) hasta que los dos, a causa de sus babas venenosas y sus ataques mortales, quedan completamente ensangrentados y acaban matándose y cociéndose en su propio veneno que, después de su muerte, los convierte en agua viva y eterna; antes de esto pierden, con la corrupción y la putrefacción, sus formas naturales y primitivas, para pasar después a asumir una sola forma nueva, más noble y mejor.»

De esta forma, a la muerte —que es una separación— le sigue un largo proceso de decadencia que dura hasta que todo se pudre y los contrarios se disuelven en el *nigredo* líquido. Esta oscuridad que supera a todas las otras oscuridades, esta «negrura entre las negruras» es el primer signo inequívoco de que uno se halla en el buen camino; de ahí el aforismo de los alquimistas: «No hay generación sin corrupción.»

La etapa del *nigredo* acaba cuando la superficie adquiere un aspecto estrellado, comparable al del cielo nocturno que anunció a los pastores y reyes el nacimiento de un niño en Belén. Así pues, el primer trabajo, el primer grado de la perfección, se acerca a su fin cuando, a partir de la destrucción mutua de los opuestos, surge esa humedad metálica y volátil que es el Mercurio de los Sabios.

El principio volátil del mercurio vuela por el aire alquímico dentro del microcosmos del Huevo Filosofal, «en el vientre del viento», recibiendo las influencias celestiales y purificadoras de arriba. Vuelve a caer, sublimado, sobre la Nueva Tierra que ha de emerger finalmente. Al ir aumentando muy lentamente la intensidad del fuego exterior, las partes secas van ganando terreno a las húmedas, hasta que el continente aparecido se coagula y se deseca completamente. Mientras esto sucede, aparece un sinfín de hermosos colores que corresponden a la etapa conocida como Cola del Pavo Real.

Al final del «segundo trabajo» aparece la Blancura, *albedo*. Cuando se alcanza la Blancura, se dice que el sujeto ya tiene fuerza suficiente para resistir el calor del fuego y sólo hay que dar un paso más para que el Rey Rojo o Azufre de los Sabios salga del vientre de su madre y hermana, Isis o el mercurio, *Rosa Alba,* la Rosa Blanca.

En el tercer trabajo se recapitulan las operaciones del primero, que adquieren ahora un nuevo significado. Empieza con la pomposidad de una boda real. El Rey se reúne en el Fuego del Amor (la sal o fuego secreto) con la Reina bendita. Al igual que Cadmo atravesó a la serpiente con su lanza, el azufre rojo fija el mercurio blanco; y con esta unión se consigue la perfección final, naciendo la Piedra Filosofal.

Resumiendo brevemente:

Dentro de la Obra hay tres piedras o tres trabajos o tres grados de perfección.

El primer trabajo termina cuando el sujeto está completamente purificado (mediante sucesivas destilaciones y solidificaciones) y reducido a una sustancia mercúrica pura.

El segundo grado de la perfección se alcanza cuando dicho sujeto se ha cocido, digerido y fijado, convirtiéndose en el azufre incombustible.

La tercera piedra aparece cuando el sujeto ha fermentado, se ha multiplicado y ha alcanzado la Perfección Final, siendo una tintura fija y permanente: la Piedra Filosofal.

La alquimia verdadera y la alquimia falsa

Como los verdaderos objetivos de la alquimia siempre han quedado encubiertos por el simbolismo hermético con que se expresan los conocimientos sobre la transmutación de los metales, es inevitable que surjan errores y confusiones cuando los no iniciados intentan interpretar demasiado literalmente las recetas esotéricas.

Fascinadas por el espejismo fatal del oro, gentes de toda índole —a quienes los verdaderos alquimistas llaman desdeñosamente «puffers», por utilizar los fuelles de una forma frenética— ignorando los principios verdaderos del arte, han realizado innumerables experimentos, normalmente sin ningún éxito, a menudo con resultados desastrosos, que han hecho que la alquimia se desprecie y se considere un «arte falso», dando pie a actitudes tan desdeñosas como la de Chaucer:

> *Quien practique este maldito arte,*
> *No tendrá nunca oro bastante,*
> *Porque todo el oro en ello invertido,*
> *¡No cabe duda!, lo verá perdido.*

La respuesta clásica a estas líneas nos la da Artephius: «¡Pobre imbécil! ¿De verdad eres tan tonto como para creer que nosotros enseñamos de forma abierta y clara el mayor y más importante de todos los secretos? Te aseguro que quien explique con el sentido literal y corriente de las palabras lo que han escrito los filósofos, se encontrará atrapado en los meandros de un laberinto del que nunca conseguirá escapar, pues no tendrá el hilo de Ariadna para que le muestre la salida. Y al obrar de esta forma perderá todo lo que gastó.»

Este tipo de advertencias se encuentran con frecuencia en los textos alquímicos, pero los «puffers» no les prestaron ninguna atención y por su estupidez quedaron hechos pedazos por las explosiones o se envenenaron con los humos nocivos. Pero a pesar de su temeridad, hay que reconocer que se les deben importantes descubrimientos químicos, y con frecuencia se ha afirmado que fueron ellos, más que los verdaderos alquimistas, quienes sentaron las bases de la química orgánica.

Dom Pernety, en su *Dictionnaire Mytho-Hermétique,* afirma: «La mayoría de los escritores discrepan a la hora de definir esta ciencia, porque hay dos tipos [de alquimia], la verdadera y la falsa... La verdadera alquimia consiste en perfeccionar los metales y mantener la salud. La falsa alquimia consiste en destruir ambas cosas.

»La primera hace uso de los agentes de la naturaleza e imita sus procesos. La segunda se basa en principios erróneos y utiliza como agente al tirano destructor de la Naturaleza. La primera, partiendo de una pequeña cantidad de materia vulgar, crea algo de gran valor. La segunda, partiendo de una materia de gran valor, el propio oro, crea una materia vulgar, humo y cenizas. El resultado de la verdadera [alquimia] es la curación inmediata de todas las enfermedades que afligen a la humanidad. El resultado de la falsa consiste en esas mismas enfermedades que tan a menudo afectan a los "puffers".

»La alquimia ha quedado desacreditada, ya que un gran número de pésimos artistas, con su falsedad, ha engañado a los ingenuos y a los ignorantes.

»El oro es el objeto de la ambición humana. Los peligros a que uno tiene que exponerse, tanto en la tierra como en el mar, para conseguir este metal precioso, desaniman a muy pocos.

»Un hombre llama a tu puerta; dice saber la forma de obtener, en tu propia casa, el filón de donde proceden todos los tesoros, arriesgando tan sólo una parte de lo que tú posees. Confiando en sus palabras, cuya falsedad desconoces porque ignoras cómo funcionan los mecanismos de la Naturaleza, asientes, siembras tu oro y no cosechas más que humo; te arruinas, y acabas odiando al impostor y dudando de la existencia de la alquimia, y todo porque no alcanzaste el objetivo pretendido, pues tomaste el camino en dirección opuesta...

»Pocos artistas son verdaderos alquimistas: hay demasiados que trabajan siguiendo los principios de la química vulgar. Estos últimos, basándose en este arte, divulgan todo tipo de sofismas y los impostores los utilizan para, después de haberse arruinado ellos, arruinar a otros. [Su arte] se hubiera despreciado por todas estas razones de no haber existido otras más fuertes para valorarlo, ya que muchos de sus descubrimientos han sido muy útiles para la humanidad.

»Los verdaderos alquimistas no se vanaglorian de sus conocimientos; no pretenden engañar o estafar a la gente para conseguir su dinero, porque, como Morien dijo al rey Calid, el que lo tiene todo, no necesita nada. Dan sus riquezas a los necesitados. No venden su secreto y, si transmiten su conocimiento a unos cuantos amigos, es sólo a aquellos que creen que se lo merecen y que lo utilizarán de acuerdo con la Voluntad Divina. Conocen la Naturaleza y sus mecanismos, y utilizan este conocimiento para alcanzar, como dice San Pablo, el del Creador.»

Alcanzar los conocimientos del Creador es descorrer el velo y convertir la oscuridad de la ignorancia en la luz de la sabiduría. Obtener esta suprema sabiduría es fundirse conscientemente con Dios y amarlo: vivir para amar. Pero ¿cómo puede escaparse el hombre de la prisión de su propia imperfección? ¿Cómo puede trascender sus condicionamientos actuales y transformarse en Dios?

Esta es la pregunta con la que finalmente nos tenemos que enfrentar cuando nos acercamos al misterio de la alquimia. El que desee encontrar la respuesta, no sólo intelectualmente, sino como forma de Vida —de hecho como un camino hacia la Vida— debe comenzar por mirarse a sí mismo minuciosa y detenidamente. Si es honesto, se dará cuenta de que la raíz de todos sus problemas es el desconocimiento casi absoluto de lo que es más importante: su verdadero yo.

Al hombre, por no saber distinguir el Ego del Yo, se le enturbia el espíritu y se le disipa la energía, por lo que camina a trompicones por la vida, luchando con los efectos sin que su espíritu perciba las causas. Como consecuencia de todo esto, acaba por no diferenciarse apenas de aquel rey loco de quien se cuenta que se retiró a la mazmorra más oscura de su palacio y que, a pesar de que le rogaron que saliera, se negó a hacerlo. Cuando sus ministros, desesperados, bajaban a intentar persuadirlo para que subiera y volviera a reinar, él los ahuyentaba con gruñidos. Intentaban hablarle de lo bello que era su palacio, de sus maravillosos jardines, de su harén, de sus amigos que sufrían por su ausencia..., pero ninguna de esas razones encontraba cabida en su mente alocada y los llamaba mentirosos y los acusaba de pretender robarle un hatillo de inservibles trapos asquerosos que él decía eran sus posesiones.

Si lo que tenemos, en lugar de proporcionarnos libertad, nos esclaviza, ¿para qué nos sirve? El que quiera ser libre debe preguntarse: ¿para qué vivo?, y ha de liberarse de ese condicionamiento fatídico que le viene dado por la herencia, el entorno y la sociedad, porque «el reino está dentro».

«Descender hasta nuestro interior, mirar nuestro interior, es a la vez ascender —una asunción—, mirar la auténtica realidad exterior. La renuncia al yo es la fuente de la humildad, así como la base de toda ascensión verdadera. El primer paso consiste en mirarse por dentro, en contemplar única y exclusivamente nuestro verdadero yo. Pero el que sólo llega hasta aquí, se queda a mitad de camino. El segundo paso ha de consistir en mirar con eficacia al exterior, en observar de forma perseverante, activa e independiente el mundo exterior...

»Entenderemos el mundo cuando nos entendamos a nosotros mismos, porque ambas cosas constituyen las mitades inseparables de un todo. Somos hijos de Dios, semillas divinas. Algún día seremos como nuestro Padre.» (Novalis.)

El conocimiento interior

Todo procede del Uno y vuelve al Uno, por el Uno y para el Uno. De esta forma tan tranquilizadora habla Ouroboros (la serpiente o dragón que se muerde su propia cola), el elocuente símbolo del Uno Eterno e Infinito, que representa perfectamente el Gran Ciclo del universo, así como su reflejo, la Gran Obra. La inmovilidad perfecta y el movimiento perfecto.

El símbolo solar del oro (☉) recoge la misma idea, y el legendario padre de la alquimia, Hermes Trismegisto, en su Tabla Esmeralda, llama a la alquimia operación del Sol:

«Es una verdad sin mentiras, cierta y la más verdadera, que lo que está abajo es como lo que está arriba y lo que está arriba es como lo que está abajo, a fin de realizar los milagros de una sola cosa.

Y de la misma forma que todo lo que existe procede del Uno, por la meditación del Uno, así también todas las cosas han nacido de esta cosa única por adaptación.

El Sol es su padre y la Luna su madre.

El Viento la ha llevado dentro de su vientre y la Tierra es su nodriza. El padre de la perfección del mundo entero (Télemo) se encuentra aquí.

Su fuerza o poder es total si se convierte en tierra.

Separarás la Tierra del Fuego, lo sutil de lo espeso, suavemente, con gran habilidad.

El sube de la Tierra al cielo y de nuevo baja a la Tierra, recibiendo la fuerza de las cosas superiores e inferiores.

Obtendrás de esta forma toda la gloria del mundo y por lo tanto toda la oscuridad se alejará de ti.

Esta es la fuerza más fuerte de todas las fuerzas, pues vencerá a todas las cosas sutiles y penetrará en todas las cosas sólidas.

Así se ha creado el mundo.

A partir de esto, surgirán y existirán adaptaciones admirables; la forma de conseguirlo está aquí.

Y en relación con esto, yo soy el llamado Hermes Trismegisto y poseo las tres partes de la filosofía del mundo entero.

Y aquí se da por concluido lo que he dicho sobre la operación del Sol.»

Los alquimistas de todos los tiempos han tenido siempre muy en cuenta esta Tabla Esmeralda. Constantemente se refieren a ella, y de ella ha surgido un gran número de aforismos que se citan con frecuencia, como por ejemplo «Como lo de arriba, lo de abajo». La Tabla confirma las analogías que existen entre el macrocosmos representado por el círculo ○ y el microcosmos representado por el punto axial · *(bindu* en sánscrito), sin el que el Infinito permanecería incompleto, sin centro, sin que su creación hubiera finalizado. Para llegar a interpretar adecuadamente la Tabla Esmeralda resulta necesario no sacar conclusiones precipitadas y sobre todo no restringir su significado a un único nivel de entendimiento. Cuanto mejor se conozcan los principios de este arte, más rica será la comprensión intuitiva o «conocimiento interior». Esto sirve, naturalmente, para todos los textos alquímicos, pero para éste más que para ningún otro. Primeramente, el estudioso estará intrigado; luego se sentirá tentado a rechazarlo todo como *gibberish* * (esta palabra procede, irónicamente, del nombre del alquimista árabe Jabir o Geber, cuya obra fue rechazada por considerarse ininteligible); después, si tiene suficiente paciencia y humildad (los alquimistas dicen que la paciencia es la escalera de los filósofos y la humildad la llave de su jardín), saltarán las primeras chispas de entendimiento dentro de su espíritu y esto le animará a continuar hasta que llegue el momento en que pueda separar lo sutil de lo espeso, lo verdadero de lo falso. Se debe proceder con cuidado, «suavemente, con gran habilidad».

Este paciente proceso de elucidación queda reflejado en el comentario sobre la Tabla Esmeralda que escribiera en el siglo XIV el Adepto Hortulanus, el Jardinero *(ab ortis maritimis nuncupatus,* «llamado así por los jardines marítimos»):

«I. Dice el filósofo: *Es una verdad,* refiriéndose a que es cierto que recibimos el arte de la alquimia. *Sin mentiras,* afirma, para contradecir a quienes afirman que esta ciencia es una mentira o una falsedad. *Cierta,* es decir, experimentada, porque cualquier cosa que se ha experimentado es completamente cierta. *Y la más verdadera,* porque el Sol más verdadero se crea con este arte. Dice *la más verdadera,* en grado superlativo, porque el Sol que este arte produce supera a todos los

---

* *Gibberish,* palabra inglesa que significa palabrería, verborrea. (N. del T.)

soles naturales en lo que a sus propiedades medicinales y de otros tipos se refiere. [Aquí Hortulanus quiere decir que el oro alquímico de los filósofos es muy superior al oro natural, corriente y vulgar.]

»II. A continuación habla de la operación de la Piedra, diciendo *lo que está abajo es como lo que está arriba.* Dice esto porque la Piedra está dividida en dos partes principales por el *magisterium* [la Obra]: la parte superior, que asciende, y la parte inferior, que permanece abajo, clara y fija. [Aquí se hace referencia a los dos principios que se separaron del caos original, el volátil o esencia, que asciende hasta la parte superior del recipiente, y el fijo o materia densa. El primero suele llamarse espíritu y el segundo, cuerpo.]

»Y, sin embargo, estas dos partes tienen las mismas virtudes. Y por esta razón dice que *lo que está arriba es como lo que está abajo.*

»Esta división es, sin duda, necesaria *a fin de realizar los milagros de una sola cosa,* es decir, la Piedra. Porque la parte inferior es la Tierra, llamada nodriza y fermento, y la parte superior es el alma, que vivifica y hace resucitar a la Piedra entera. Y por eso se lleva a cabo la separación, se celebra la conjunción y se realizan y se hacen muchos milagros dentro de la obra secreta de la Naturaleza.

»III. *Y de la misma forma que todo lo que existe procede del Uno, por la meditación del Uno...* El autor pone ahora un ejemplo: *De la misma forma que todo lo que existe procede del Uno,* es decir, de un globo caótico o una masa caótica, por la *meditación,* es decir, por la reflexión de Uno, por ser creación de Uno, del Dios Todopoderoso, *así también todas las cosas han nacido,* es decir, han surgido *de esta cosa única,* de la masa confusa [la *Materia Prima*].

»*Por adaptación;* en otras palabras, solamente por el mandato y la acción milagrosa de Dios. Así, nuestra Piedra nace y surge de una masa confusa que contiene en su interior todos los elementos y que ha sido creada por Dios; gracias únicamente a Sus milagros surge y nace nuestra Piedra.»

Estas evocativas palabras de la Tabla Esmeralda, junto con su comentario (del que se ha citado sólo una pequeña parte), constituyen un diagrama o mapa simbólico de la operación alquímica. Como es lógico, el viajero debe aprender a interpretar el mapa; si no lo hace, inmediatamente se perderá. Primeramente tenemos que suponer que hemos obtenido la caótica *Materia Prima*, escondida, sin revelar, «nuestro caos». Esto siempre se compara con el estado del mundo al comienzo del Génesis, antes de que las cosas tomaran forma y se separaran, dando lugar a diferentes elementos. De esta forma queda claro que el proceso alquímico es una reconstitución microscópica del proceso de la creación; en otras palabras, una re-creación. Se realiza mediante la interacción de dos fuerzas, simbolizadas por dos dragones, uno blanco y otro negro, enzarzados en una lucha eterna y circular. El dragón blanco es alado, volátil; el negro no tiene alas, es fijo. También está presente la fórmula alquímica universal *solve et coagula.* Este emblema y esta fórmula simbolizan la alternancia de papeles de las dos mitades indispensables que componen el Todo. *Solve et coagula* es un llamamiento a que se alterne la *disolución,* que es la espiritualización o sublimación de los sólidos, con la *coagulación,* que es la rematerialización de los productos purificados de la primera operación. El aspecto cíclico lo describe, con gran claridad, Nicolas Valois: «*Solvite corpora et coagulate spiritum* "disuelve el cuerpo y coagula el espíritu".»

En palabras de Hermes Trismegisto: «Separarás la Tierra del Fuego» (se refiere a que hay que separar el estado sólido del azufre del estado sutil), «lo sutil de lo espeso, suavemente, con gran habilidad». «El sube de la Tierra al cielo [*solve*] y de nuevo baja a la Tierra [*coagula*], recibiendo la fuerza de las cosas superiores e inferiores.»

La Tierra es, en términos generales, nuestra Materia o *Mater,* la Madre y la fuente de todas las cosas corporales. «*Terra enim est mater Elementorum; de terra procedunt et ad terram revertuntur*» —dice Hermes—. «La Tierra es la Madre de los Elementos; de la Tierra proceden, a la Tierra vuelven.» «Haz que la Tierra se aligere y que el Fuego pese, si deseas encontrar lo que raramente se encuentra», dice otro; y en *La Fontaine des amoureux* encontramos:

> *Si fixum solvas faciasque volatile fixum,*
> *Et volucrem figas, faciet te vivere tutum:*

«Si disuelves lo fijo y fijas lo volátil y sujetas al que tiene alas, conseguirás vivir de una forma segura.» A partir de la interacción de los Cuatro Elementos y de la transformación de unos en otros, todo evoluciona, y se destila el quinto elemento, la Quintaesencia.

Los Cuatro y los Tres

El monje Ferrarius define la alquimia como «la ciencia de los Cuatro Elementos, que se encuentran en todas las sustancias de la creación pero que no son de naturaleza vulgar. La práctica de este arte consiste simplemente en lograr que estos Elementos se conviertan los unos en los otros».

«Sabed, pues —dice Nicolas Flamel en su *Thresor de Philosophie*—, que esta ciencia consiste en el conocimiento de los Cuatro Elementos (incluidas sus estaciones y cualidades) que se transforman mutua y recíprocamente unos en otros. Todos los filósofos coinciden en este punto.»

«Y sabed que bajo el cielo existen Cuatro Elementos que, sin ser visibles, se perciben a través de sus efectos; partiendo de ellos, los filósofos, amparándose en la doctrina elemental, han creado y desarrollado esta ciencia.»

Aristóteles, a quien frecuentemente se cita en los textos alquímicos, señalaba que los Cuatro Elementos se relacionan en virtud de sus propiedades, tales como el calor y el frío, la sequedad y la humedad:

$$Calor + Sequedad = Fuego$$
$$Calor + Humedad = Aire$$
$$Frío\ \ + Sequedad = Tierra$$
$$Frío\ \ + Humedad = Agua$$

Aunque los filósofos griegos enseñaran que el principio de todas las cosas era el Agua, según Tales, o el Aire, como decía Anaximandro, o el Aire y el Agua, como afirmaba Jenófanes, o los Cuatro Elementos, Tierra, Agua, Aire y Fuego, como propugnaba la escuela de Hipócrates, el pensamiento griego tendió a marcar las profundas distinciones que desembocaron en la teoría de los cuatro elementos, de los cuatro humores del cuerpo humano, etc., que mantuvieron los discípulos de Aristóteles. Hipócrates afirmaba que si el hombre estuviera compuesto de un solo elemento, nunca estaría enfermo, pero como está compuesto de varios elementos, los remedios que se requieren son complejos. La teoría de los cuatro elementos y la idea oriental de la transmutación de los elementos se sincretizaron en Alejandría, siendo desarrolladas posteriormente por los alquimistas árabes Jabir (Geber), Razi (Rhasis) e Ibn Sina (Avicena).

La amalgama resultante ha resistido hasta nuestros días, soportando los desdenes del atomismo del siglo XIX. Muchas de las ideas básicas de la alquimia fueron desarrolladas por los filósofos griegos. Así, Heráclito de Efeso, apodado «El oscuro», mantenía que el fuego era el único principio de todas las cosas; consideraba la generación como un camino ascendente —es decir, una volatilización— y la descomposición como un camino descendente —es decir, una fijación—. Empédocles fue quien primero mencionó los Cuatro Elementos, considerándolos productos complejos, subordinados a los átomos indestructibles primarios y animados por el amor y el odio. Demócrito, que dotó a estos átomos de movimiento propio, desarrolló una teoría del universo basada en los choques y en la armonía de los choques o vórtices. Y Anaxágoras vislumbró que «todo está en todo» (Aristóteles: *Meteorologica*, 4, 5), el universo infinitamente grande dentro del átomo infinitamente pequeño; utilizó ingeniosamente el principio de la analogía para desenmarañar la madeja de la antigua ciencia.

Fue el propio Aristóteles quien añadió un quinto elemento a los cuatro existentes, el Eter, eterno e inmutable, el Primer Motor del universo *(De Caelo,* 1, 2). Nemesio (siglo IV d.C.), obispo de Emesa, fue uno de los representantes más destacados del sincretismo alejandrino, y basta con citar un pasaje de su *Naturaleza del hombre* para demostrar que la idea de la transmutación de los metales, surgida en la época en que el platonismo, la magia y el cristianismo estaban combinados, era considerada por los ortodoxos como un artículo de fe: «A fin de evitar la destrucción de los elementos, el Creador, sabiamente, ha ordenado que dichos elementos tengan la capacidad de transmutarse unos en otros o en sus partes componentes y que las partes componentes se descompongan, a su vez, en sus elementos originales. Así, la perpetuidad de las cosas queda asegurada por la sucesión continua de estas generaciones recíprocas.»

El estudio del gnosticismo nos alejaría del tema que tratamos, pero citaremos un pasaje más de este escritor tan injustamente olvidado para mostrar la profunda diferencia que el misticismo ejercía entonces sobre todas las ciencias. «Porfirio, en su tratado sobre las sensaciones, nos dice que la visión no se produce por un cono ni por una imagen ni por ningún otro objeto, sino que es la mente, estableciendo conexión con los objetos visibles, la que se ve a sí misma en dichos objetos, que no son sino ella misma, dado que la mente abarca todo y que todo lo que existe no es sino la mente, que contiene cuerpos de todas clases.»

Esta extraordinaria afirmación (que tiene sus ecos en el misticismo tibetano) es la piedra angular sobre la que descansa el edificio de la alquimia mágica, cuyo objetivo es conseguir la realización de los arquetipos perfectos del absoluto.

A pesar de tanta evidencia, hay todavía quienes niegan que existan conexiones entre la alquimia y las doctrinas esotéricas orientales. En relación con esto, podemos afirmar que la palabra *Tantra* se ha utilizado a veces erróneamente; asimismo resulta impreciso definir la alquimia simplemente como «tantrismo occidental». Existe, indudablemente, la alquimia hindú (Rasayana) y, además, muchos conceptos tántricos tibetanos guardan estrecha relación con el taoísmo esotérico, y el taoísmo, a su vez, no se puede separar de la alquimia china. Así pues, aunque se debe proceder con cautela, quienes dispongan de una mente abierta sacarán un cierto provecho a la hora de estudiar las analogías que existen entre la alquimia y los tantras (tanto hindúes como budistas).

Albert Poisson, en un interesante trabajo titulado *Théorie et symboles des Alchimistes* (París, 1891), concluye su estudio sobre los Cuatro Elementos con la siguiente tabla, que muestra las correspondencias existentes entre la *Materia Prima,* los tres principios del arte y los Cuatro Elementos.

	AZUFRE Principio fijo	Tierra (visible, estado sólido) Fuego (oculto, estado sutil)
MATERIA PRIMA UNICA E INDESTRUCTIBLE	SAL	Quintaesencia, estado comparable al éter de los físicos
	MERCURIO Principio volátil	Agua (visible, estado líquido) Aire (oculto, estado gaseoso)

Utilizando la terminología de la alquimia, puede decirse que, en cierta forma, todos los líquidos son agua, todos los sólidos tierra y todas las sustancias gaseosas o volátiles, aire, al mismo tiempo que cualquier tipo de calor es fuego. Esto no es, como han supuesto algunos, una simplificación exagerada provocada por la ignorancia o la estupidez. Una actitud tan desdeñosa pone de manifiesto, una vez más, que se han interpretado muy literalmente los términos aquí empleados, a pesar de todas las advertencias, como por ejemplo aquella de Ferrarius: «...no de una naturaleza vulgar.» Algún día quedará patente que los antiguos alquimistas poseían un conocimiento de la estructura de la materia y sus propiedades mucho más sutil que el de quienes hoy en día se dedican a machacar átomos.

Dejaremos los Cuatro ($\dotplus$) y pasaremos a considerar los Tres. Como hemos visto en la tabla de Poisson, el Caos o *Materia Prima* contiene los tres principios sin realizar o potencialidades de la Gran Obra: azufre, sal y mercurio. Esta trinidad de la Materia se corresponde con el Espíritu, el Cuerpo y el Alma del Microcosmos del Hombre, y con el Padre, el Hijo y el Espíritu Santo del Macrocosmos de Dios. Si el lector prefiere evitar los términos cristianos, puede reemplazarlos por otros, tales como Principio no Manifestado o Vacío sin Forma, denominado Sunyata en sánscrito; Creación Manifiesta o Realidad o Mundo Sensible, que recibe el nombre Maya en sánscrito; y por el término sánscrito Prana, que hace referencia a esa energía vital, sutil y misteriosa que sostiene a todo lo que vive.

En las tres regiones, los tres principios (la Trinidad) son tres aspectos de una misma cosa: la Unidad.

Esta unidad no se manifiesta y por lo tanto permanece desconocida, de la misma forma que la unidad fundamental de los tres reinos (animal, vegetal y mineral) es también desconocida. La Gran Obra consiste en la manifestación de esta unidad fundamental de los tres reinos dentro de los tres reinos. Consiste en dar a conocer o hacer visible lo que está oculto y es sutil e invisible, y en hacer oculto, sutil e invisible lo que se conoce y es visible.

Presente y futuro

Al parecer, son cada vez más las personas que se interesan por la alquimia, y esto es una buena señal, pues indica que se ha producido un cambio necesario que consiste en abandonar los objetivos puramente materiales para redescubrir los valores espirituales. Pero nadie debería dejarse engañar por este fenómeno; serán poquísimos los que logren adquirir unos fundamentos teóricos lo suficientemente firmes como para convertirse en alquimistas.

De todas formas, los problemas que conlleva la realización de la Gran Obra son tan inmensos que bastarían para disuadir a la mayoría de los indignos. El primer problema reside en que probablemente la mayor parte de la gente todavía se niega a creer que se pueda conseguir algo por medio de la alquimia. Muchos ponen en duda, por ejemplo, la necesidad de realizar ciertas operaciones durante unos períodos astrológicos precisos, basándose en que en el campo de la química tales cosas no existen y alegando que un experimento comprobado arroja invariablemente los mismos resultados, sea cual sea el lugar y el momento en que se realice. Pero en la alquimia nunca se puede estar seguro de nada; uno está sujeto a las influencias celestiales, a las condiciones atmosféricas y a todo tipo de ondas y variaciones. La alquimia guarda cierto parecido con la agricultura, con la que a menudo se la compara; algunos incluso la llaman «agricultura celeste». Esta analogía se basa en el hecho de que en la agricultura uno siempre depende de las estaciones para arar, sembrar y cosechar. Sería absurdo esperar resultados si uno fuera tan demente como para dejar a un lado el orden natural de las cosas. «Al igual que Dios crea los campos de trigo y luego nos queda a nosotros convertirlo en harina, amasarlo y fabricar el pan, así nuestro arte requiere que hagamos lo mismo.»

El segundo problema es otra vez una cuestión de fe. ¿Qué es lo que se pretende? ¿Fabricar oro? ¿Quién, en nuestros días, sería tan ingenuo como para creer que uno podría hacerse rico por medio de la alquimia? La alquimia requiere una inversión considerable, y eso sólo para adquirir los aparatos necesarios. No cabe duda de que hoy en día ningún «puffer» sería capaz de convencer a un empresario para que invirtiera una sola peseta en una cosa tan absurda. La inversión de capital necesita contar con la perspectiva realista de unos beneficios sustanciosos, y ningún especulador estaría tan loco como para dejarse engañar de esa forma.

Además, se crea o no se crea en la viabilidad de la transmutación de los metales, existen muchas formas de obtener oro que resultan más seguras y más baratas que la alquimia. Si sus objetivos son el oro y la riqueza, será mejor que el interesado ponga sus ojos en otra cosa.

¿Medicina universal? ¿Panacea? ¿Elixir de la Vida? Tal idea se recibe aún con más escepticismo. Sin embargo, Armand Barbault, un alquimista contemporáneo, consiguió, tras doce años de esfuerzo, lo que él llama en su libro *L'Or du millième matin* (París, 1969), el «oro vegetal» o Elixir de primer grado.

Este elixir fue analizado por médicos suizos y alemanes, quienes lo sometieron a minuciosas pruebas de laboratorio. Se probó su enorme valor y eficacia, especialmente en el tratamiento de afecciones graves de riñón y corazón. Pero no fue posible analizarlo a fondo ni, por lo tanto, sintetizarlo. Su preparación requería un cuidado tan especial y un proceso tan lento que finalmente se perdieron todas las esperanzas de comercializarlo. Los científicos que lo examinaron declararon que se hallaban en presencia de una materia en estado desconocido que tenía propiedades misteriosas y quizá profundamente significativas. Mientras tanto Barbault, con la ayuda de su mujer y su hijo, continúa trabajando con el objetivo de obtener el segundo grado.

Eugène Canseliet, un conocido escritor y alquimista contemporáneo, heredero y discípulo de Fulcanelli, lleva más de cincuenta años trabajando diligentemente para realizar la Gran Obra. Sólo ha podido abordar la última fase, que se conoce como tercer trabajo, en cuatro ocasiones durante los últimos veinte años, y él mismo reconoce que ha fracasado. Atribuye el reducido número de intentos a las malas condiciones atmosféricas, y los fracasos (presumiblemente) se los atribuye, en última instancia, a sí mismo. Termina con estas palabras su último libro: «Uno tiene que merecerse el gran milagro y esperarlo; tiene que estar preparado en las primaveras para utilizar la imprevisible semana de las semanas —*hebdomas hebdomadum*—, en la que, de forma excepcional, el trabajo del hombre se encuentra con el de la Naturaleza.

»Que el alumno tenga siempre en cuenta, como nosotros lo tenemos, que nuestra búsqueda está muy por encima de todas las otras.

»Hace falta coraje, humildad y paciencia; es importante que al alquimista nada le pille desprevenido.» *(L'Alchimie expliquée sur ses textes classiques,* París, 1972.)

El número de personas que son lo suficientemente inteligentes o que están lo suficientemente locas como para embarcarse en una tarea tan poco prometedora, y aceptar todo tipo de sacrificios, tiene que ser, desde luego, muy reducido. Pero parece quedar claro que si una persona «indigna» perseverara y, pese a todas las dificultades, alcanzara su objetivo, dejaría de ser indigna. Nuestro amigo y profesor, el lama Anagarika Govinda, acostumbraba a deleitarnos con sus historias sobre este tema. Esta es una de ellas:

Un ladrón, tras encontrarse con uno de los ochenta y cuatro Siddhas (maestros tántricos que poseen superpoderes o siddhis), le preguntó cuál era la forma de hacerse con una cierta espada mágica con la que conseguiría ser invencible y convertirse en el amo de todo el mundo. El Siddha le mandó realizar un saddhana (disciplina física y espiritual) muy difícil; tendría que seguirlo con gran exactitud para obtener la espada mágica. El ladrón realizó el saddhana con fervor y asiduidad, pues estaba muy decidido a conseguir la espada. Después de hacerlo durante los años señalados se dirigió al lugar convenido, una «estupa» donde se le había dicho que aparecería la espada. Tras dar las rituales vueltas en círculo y recitar los mantras, la espada apareció, tal y como se le había prometido. En cuanto agarró la empuñadura quedó iluminado y desde aquel preciso instante no necesitó más la espada mágica.

En su libro *Foundations of Tibetan Mysticism* (Londres), el lama Govinda narra algunas de estas historias y escribe: «La relación que existe entre el estado superior de la consciencia y su estado normal la compararon algunas escuelas de alquimia con la que existe entre un diamante y un trozo de carbón corriente. No cabe imaginar mejor contraste y, sin embargo, ambos se componen de la misma sustancia química, es decir, el carbono. Esto nos muestra de una forma simbólica la unidad fundamental que existe entre todas las sustancias y su inherente capacidad de transformación.

»Para el alquimista, convencido de la existencia de un profundo paralelismo entre el mundo material y el inmaterial, y de la uniformidad de las leyes naturales y espirituales, esta capacidad de transformación cobraba un significado universal. Podría aplicarse tanto a la materia inorgánica como a la vida orgánica e incluso a las fuerzas psíquicas que penetran en ambas cosas. Esta milagrosa capacidad de transformación era mayor que la que popularmente se le atribuía a la Piedra Filosofal, que se suponía haría cumplir todos los deseos (¡incluso los más estúpidos!), o al Elixir de la Vida, que garantizaba la prolongación ilimitada de la vida terrena. Quien experimenta esta transformación ya no abriga más deseos y la prolongación de la vida terrena ya no le importa, puesto que vive donde la muerte no existe.

»Las historias de los Siddhas siempre ponen esto de relieve. Sea lo que sea lo obtenido por medio de los poderes milagrosos, pierde todo interés para el adepto en el momento en que lo consigue, porque ya está por encima de los objetivos mundanos que le hicieron desear la obtención de los poderes. En este caso, como en muchos otros, no es el fin lo que santifica los medios, sino que son los medios los que santifican el fin al transformarlo en un objeto superior.»

Comentario de la Visión de Sir George Ripley
por *Æyrenaeus Philalethes,* Anglus, Cosmopolita

Este texto, publicado por primera vez en Londres en el año 1677, es un ejemplo hermoso y muy ilustrativo de la escritura alquímica. Ripley, un Adepto del siglo XV, incluyó su «Visión» en un libro, *The Twelve Gates.* El ilustre y misterioso Æyrenaeus Philalethes comentó dicho libro en una serie de tratados, recogidos bajo el título de *Ripley Revived.* Philalethes goza de la admiración de todos los alquimistas y su identidad ha sido tema de muchas especulaciones. Su *Secret Entrance into the Shut Palace of the King* es un clásico, tanto en la cultura inglesa como en la latina o la francesa.

LA VISION DE
SIR GEORGE RIPLEY
Canónigo de *Bridlington.*

Cierta Noche, cuando con mi Libro ocupado me hallaba,
La Visión *que aquí relato se apareció ante mi vista cansada:*
Vi que un Sapo Rojizo bebía el zumo de Uvas con tales prisas
Que, lleno a rebosar del Caldo, le explotaron las Tripas.
Después de esto, de su Cuerpo emponzoñado escapó el Veneno letal,
Y sus miembros comenzaron a hincharse, se sentía tan Dolido y tan Mal.
Empapado en sudor Envenenado, se dirigió a su secreta Madriguera,
Y exhalando un Vaho pestilente blanqueó las paredes de la Cueva.
Después de un tiempo empezó a aparecer una Neblina de color Dorado,
Cuyas gotas teñían el suelo de rojo al caer desde lo alto.
Y cuando al Sapo comenzó a faltarle el aliento vital,
Negro como el Carbón se quedó el moribundo Animal.
Y de esta forma, ahogóse dentro del Veneno que por sus Venas fluía.
Así estuvo, pudriéndose, durante Ochenta y Cuatro días.
Yo deseaba Experimentar para extraer aquel Veneno,
Por lo que coloqué el Cadáver sobre un Fuego muy lento.
Una vez hecho, ¡oh, Prodigio para la vista que no puede ser narrado!
Aparecieron Colores extraños por todo el Cadáver del Sapo;
Se volvió Blanco cuando los colores desaparecieron de allí;
Luego, tras teñirse de Rojo, se quedó para siempre así.
Con el Veneno obtenido una Medicina he fabricado,
Que destruye el Veneno y salva al Envenenado.
Gloria al que nos proporciona estos secretos Métodos,
A El Dominios y Honor, Adoremos y Alabémoslo. *Amén.*

Esta visión está escrita en forma de Parábola o Enigma, y es que los Sabios Filósofos Antiguos frecuentemente exponían sus secretos de este modo. Todos los hombres gozan de esta Libertad de utilizar expresiones Enigmáticas para descifrar lo que es realmente misterioso. Gran parte de las enseñanzas de los Antiguos *Egipcios* están escritas en lenguaje Jeroglífico, y muchos Padres de esta Ciencia han empleado también este método, aunque en la mayoría de los casos se han servido de las descripciones Cabalísticas o Místicas, siendo ésta un ejemplo de ello. Pero volvamos al tema que nos ocupa.

Vi que un Sapo Rojizo...

Aquí tenemos la descripción de un Sapo en la que se encierra todo el secreto de los Filósofos. El Sapo es el Oro; recibe este nombre porque es un Cuerpo Terrenal y especialmente por el veneno negro y pestilente que surge en los primeros días de la fase preparatoria de esta operación, durante el reinado de Saturno, antes de que aparezca el color blanco. Por consiguiente, se le llama Sapo Rojizo.

En esto, todos los Escritores muestran un total acuerdo, al afirmar que nuestra piedra no es sino el Oro digerido que ha alcanzado el grado más alto gracias a la ayuda de la Naturaleza y el Arte. Como dijo otro Filósofo, el primer trabajo consiste en sublimar el *Mercurio,* colocando a continuación los cuerpos limpios en el *Mercurio* limpio. Podría aportar muchos testimonios, ya que todos los escritores siguen esta línea. ¿Qué ocurre con esos ingeniosos *Filósofos* que al parecer niegan todo esto para confundir a los ingenuos? No nos corresponde a nosotros buscar la reconciliación —aunque podríamos hacerlo—, ya que muchos de ellos escribieron guiados por la envidia y con la intención de engañarnos. Todos escribieron de la forma más misteriosa que pudieron hacerlo, a fin de oscurecer la verdad; incluso en el mejor de los casos, no eran más que hombres que describían las cosas de acuerdo con sus Creencias filosóficas y que no escribían de una forma completamente transparente porque creían que al hacerlo el Arte resultaría demasiado fácil y se condenaría para siempre. Pero, ¿qué necesidad tenemos de palabras? Sabemos la Verdad y sabemos, mediante un Sistema de Símbolos secretos, distinguir a los verdaderos Escritores de los Sofistas; y no necesitamos Argumentos, ya que nosotros mismos somos testigos y sabemos que no hay más que una verdad, que no hay más que un camino, el mismo camino que han pisado todos los que han dominado este Arte. Ni nos pueden engañar ni seríamos capaces de engañar a otros.

...bebía el zumo de Uvas...

Según el Filósofo el Sapo bebe el zumo de las Uvas. El cuerpo, afirma, no es más noble que el Oro, ni tampoco el agua es de más valor que el vino. Los filósofos llaman a este agua *Aqua Ardens,* y también *Acetum Acerrimun,* pero lo más normal es que digan que es su *Mercurio.* No analizaré esta denominación, pero os aseguro que no significa otra cosa que *Mercurio,* el mismo *Mercurio* sobre el que escribí en mi pequeño Tratado en latín, λιθος σοφιας χρυσοποιητικος o *Introitus apertus ad occlusum Regis palatium,* en el que revelé toda la Verdad, sin revestimientos, completamente desnuda; y si no lo hice con excesiva claridad, estoy seguro de que lo hice con claridad suficiente. No lo voy a repetir aquí; remito al Lector a dicho libro.

Se nos dice que el Sapo bebió este zumo de Uvas; no se refiere únicamente a la Conjunción vulgar, que hace que el cuerpo se convierta en Pasta; esto se realiza con facilidad si el Agua está a la temperatura de la *Masa* o *Levadura,* ya que existe una gran afinidad entre el Agua y el Cuerpo. Como dice el Filósofo, este Agua resulta buena y agradable para los metales. Pero es más, el Agua empapa Inmediatamente nuestro Cuerpo y circula por su superficie; como afirma el Filósofo, el sudor, al volver al Cuerpo, lo traspasa maravillosamente. Así, el Cuerpo absorbe el Agua o Zumo de Uvas, aunque en menor medida que cuando se mezclan por primera vez; esto ocurre especialmente cuando, por la decocción, el Agua se infiltra hasta las partes más profundas, haciendo que el Cuerpo cambie de Forma. Este es el Agua que desgarra los Cuerpos y que los hace no ser Cuerpos sino Espíritus que vuelan, a la manera del Humo, el Viento o el Vapor, como explica detalladamente *Artephius.*

La operación es de corta duración, a diferencia de las operaciones Subterráneas de la Naturaleza, que necesitan mucho tiempo para realizarse. Es por esto por lo que muchos Filósofos afirman que se realiza en un corto espacio de tiempo; sin embargo, otros muchos, y no sin razón, se han quejado de la larga duración de esta decocción.

Y de la misma forma, el propio *Artephius,* que afirmaba que este fuego del Agua de nuestro *Mercurio* tarda muy poco tiempo en realizarla si se encuentra en una superficie abierta, mientras que la naturaleza tarda mil años, dice en otro momento que la tintura no aparece de una forma inmediata sino que lo hace lentamente, hora tras hora, día tras día, hasta que, tras un largo tiempo, la decocción acaba. Según las palabras del Filósofo, que cueza, cueza y cueza, y que nuestra larga decocción no resulte demasiado aburrida.

...con tales prisas...

Decir que el Sapo se bebió el Zumo de Uvas *con tales prisas* implica que el trabajo ha de realizarse en el tiempo real de la Naturaleza, que es, efectivamente, un período muy largo de tiempo, por lo menos el que requieren todas las decocciones. Esto es lo que le parece al Artista que se encarga del fuego día tras día; sin embargo, debe esperar el fruto con Paciencia, debe esperar hasta que el Cielo haya arrojado sobre la Tierra la primera y la última Lluvia. Pero no te descorazones, y espera hasta el final, porque entonces una abundante Cosecha será la generosa recompensa a todos tus esfuerzos.

...Que, lleno a rebosar del Caldo, le explotaron las Tripas.

En la Visión se nos dice a continuación que al cabo de un tiempo el Sapo (lleno a rebosar de caldo) reventó. Este caldo es el mismo que preparó la hermosa *Medea* y que virtió sobre las dos Serpientes que vigilaban las Manzanas Doradas que crecían en el Jardín secreto de las Vírgenes *Hespérides.*

Y es que el Vinagre de los Filósofos, al circular por la superficie del Cuerpo, engendra una sustancia similar a un Caldo sangriento que hace que los Colores del Arco iris aparezcan sobre el *León* que asciende y desciende; finalmente, las *Aguilas* devoran al *León.* Y todos juntos, ya muertos, Carroña y Cadáveres, se convierten en un Sapo venenoso que se arrastra por la Tierra y en un Cuervo que nada en medio del Mar Muerto.

El Zumo de Uvas, pues, que es nuestro *Mercurio,* extraído del Camaleón o Aire de nuestra *Magnesia* física y de la *Siderita* Mágica, tras circular sobre nuestra verdadera *Terra Lemnia* se mezcla toscamente con ella, se une a ella y se coloca sobre el fuego para ser digerido; continúa empapando el Cuerpo, por dentro y por fuera, llegando hasta las partes más profundas y haciendo que lo oculto se manifieste a través del ascenso y descenso continuo, hasta que todo se convierte en un Caldo. Este Caldo es una sustancia rala de diferentes calidades, entre Agua y Cuerpo. Finalmente, el Cuerpo explota y se convierte en un Polvo semejante a los Atomos del Sol, completamente negro y de calidad viscosa.

Después de esto, de su Cuerpo emponzoñado escapó el veneno letal,

Esta Reducción del Cuerpo hace que este agua se vuelva tan venenosa que, como atestiguan los Filósofos, no haya verdaderamente en todo el Mundo un Veneno con un olor tan pestilente. Por lo tanto, se dice que de su cuerpo emponzoñado escapó el veneno letal; las exhalaciones se comparan con el Humo venenoso de los Dragones, al que hace referencia *Flamell* en su Sumario. Pero el Filósofo —comenta en sus *Jeroglíficos* de los dos Dragones— no percibe su hedor a no ser que se rompan los Recipientes; simplemente lo intuye al observar los colores de la podredumbre de las Confecciones.

Y verdaderamente es maravilloso pensar (algunos Hijos del Arte son testigos visuales) que el Cuerpo de Oro, fijado y completamente digerido, se pudra y se convierta en algo putrefacto, como si fuera un cadáver, cosa que se logra gracias a la admirable Virtud Divina del Agua disolvente, que no puede comprarse con Dinero. Todas estas operaciones, que se alargan mucho por presentarse de formas muy variadas, se resumen en una: matar lo vivo y resucitar lo muerto.

Y sus miembros comenzaron a hincharse, se sentía tan Dolido y tan Mal.

Este humo venenoso de las exhalaciones, al volver al Cuerpo, provoca su hinchazón, según dice el Filósofo. El Cuerpo que está en este Agua se infla, se hincha y se pudre, como un Grano de Trigo, asumiendo a un tiempo la naturaleza viva y la vegetal. Y es por esto por lo que los Filósofos llaman a este Agua su Levadura, porque al igual que la Levadura hace que la Masa se hinche, este Agua fermenta el cuerpo, haciendo que se hinche; también recibe el nombre de veneno, porque al igual que el veneno, causa la hinchazón al actuar repetidamente sobre nuestro cuerpo.

Esta operación es continua, comienza cuando la materia empieza a reaccionar y dura hasta que tiene lugar la putrefacción total. El Sapo continúa exhalando (debería más bien ser llamado *León)* hasta que empieza a darse por vencido y entonces, cuando el Cuerpo comienza a asumir ligeramente la Naturaleza del Agua y el Agua la del Cuerpo, se le compara con los dos Dragones, uno alado y el otro sin alas; finalmente, cuando aparece esa Tierra apestosa que *Hermes* llama su *Tierra Foliata* o Tierra de Hojas, se le llama más correctamente Sapo de la Tierra, desde el momento de la primera excitación hasta la putrefacción final. Las exhalaciones son Blancas durante la primera fase, pasando después a ser Amarillentas, Azuladas y Negruzcas (a causa de la virulencia de la materia). Las exhalaciones se van condensando, formando pequeñas venas y goteando continuamente; penetran las gotas en el Cuerpo con una facilidad asombrosa y cuantas más penetran más se inflama y se hincha éste, hasta que acaba pudriéndose por completo.

Empapado en sudor Envenenado, se dirigió a su secreta Madriguera,

Los dos versos siguientes no son sino una descripción más Amplia del trabajo, de la volatilización, que consiste en el ascenso y descenso, es decir, en la circulación de la materia por el interior del Recipiente. Al Recipiente se le llama aquí Madriguera secreta; el mismo autor lo llama en otros escritos pequeño Barril de cristal. Se trata de un Contenedor de forma ovalada. Está fabricado con Cristal Blanco de gran pureza y es del tamaño de un Huevo de Gallina; dentro de él se vierte una onza, es decir, ocho dracmas del preparado, que resulta ser la cantidad adecuada para preparar la mezcla. A continuación se cierra con un Sello de *Hermes* el cuello del Recipiente; como tiene unos seis dedos de altura y es estrecho y fino, se cierra de una forma Artificial, fundiéndolo para que los Espíritus no puedan escapar ni el Aire pueda entrar. Por esto recibe el nombre de Madriguera secreta.

También recibe este nombre por el carácter secreto de las Cenizas o la Arena sobre las que se coloca el Recipiente al introducirlo en el Horno de Atenor Filosófico. Las puertas del Horno han de quedar herméticamente cerradas. El Horno dispone de una Ventanilla que se puede abrir ligeramente siempre que la ocasión lo requiera o resulte conveniente; también se puede cubrir la abertura con un Cristal, y de esta forma el Artista podrá contemplar el proceso. Para distinguir los colores necesitará la ayuda de una lámpara.

Y exhalando un Vaho pestilente blanqueó las paredes de la Cueva.

Después de colocar secretamente el Recipiente, el Nido y el Horno, el Artista debe, en primer lugar, estar dispuesto a permanecer encerrado durante un largo tiempo; así lo afirma *Bernard Trevisan.* La Parte Cóncava de este lugar secreto quedará tan blanqueada por los humos que ascienden que el Artista realizará su trabajo guiándose más por los ojos de su mente —su sabiduría y su lógica— que por los de su Cuerpo; porque los Espíritus, alzándose en forma de humo o de Viento, quedarán adheridos a la Parte Cóncava del Recipiente, que se encuentra situado sobre la Arena o las Cenizas. Allí, poco a poco, se irán formando gotas que resbalarán hacia abajo, empapando el Cuerpo y reduciendo la parte fija tanto como puedan. Y así, el Cuerpo a causa del Agua y el Agua a causa del Cuerpo, alterarán sus colores.

Después de un tiempo empezó a aparecer una Neblina de color Dorado,

Este proceso continuará hasta que parezca que el Recipiente está bañado en Oro; porque las exhalaciones son de color Amarillo, que es el símbolo de la verdadera Copulación del Hombre y la Mujer. Antes de que surja este color Amarillo se irá oscureciendo la Blanca Brillantez de los humos, apareciendo una mezcla de Colores Oscuros, apagados y Azulados.

Esta fase no es muy larga; las diferentes etapas pueden observarse antes de que transcurran cuarenta días, ya que durante ese tiempo los Colores dan señales de Corrupción y Generación gracias a la Naturaleza impetuosa y demoledora de nuestras Aguas pónticas y a la resistencia de nuestro Cuerpo. En la Lucha, el Cuerpo es derrotado y muere, y al morir hace que surjan dichos Colores; esto significa que las Aguilas han conseguido dominar al León y también que el León las ha contagiado ligeramente, pues comenzaron a comer su Cadáver. Los Sabios

Artistas dan a esta Operación el nombre de Extracción y Separación de Naturalezas, ya que la Tintura comienza a separarse del Cuerpo. También la llaman Reducción a la primera materia, es decir, al Esperma o Semilla, que por su doble Naturaleza se compara con los dos Dragones. No prufundizaré más en esta Visión; me remitiré a explicar brevemente lo que brevemente se expuso.

Cuyas gotas teñían el suelo de rojo al caer desde lo alto.

Estos colores del *Mercurio* tiñen adecuadamente el Cuerpo fijo que se asienta sobre el fondo, y los Cuerpos procedentes de las exhalaciones se Tiñen de color rojizo. Refiriéndose a esto, *Flamel* afirma que estas dos Naturalezas o Dragones se muerden cruelmente; una vez que se agarran ya no se sueltan hasta que, a causa de sus babas Venenosas y sus ataques mortales, quedan completamente ensangrentados. Luego, cociéndose en su propio Veneno, se convierten en una Quinta Esencia.

Y cuando al Sapo comenzó a faltarle el aliento vital,

Antes de renovarse, estas Naturalezas tienen primero que atravesar un Eclipse de Luna y otro de Sol, así como también la oscuridad del Purgatorio, que es la Puerta de la Oscuridad; después de hacerlo, la luz del Purgatorio las renovará.

Esta fase recibe la denominación Alegórica de Muerte, porque aunque un hombre resista valientemente los ataques violentos que puedan turbar su vida, si sus Enemigos son muchos y muy fuertes no podrá hacerles frente, comenzará a perder la fuerza y el coraje y la Palidez, Heraldo de la Muerte, aparecerá en sus labios. Así también nuestro Cuerpo u Hombre, el *Sol,* resiste durante un largo tiempo como un gran Campeón, hasta que es herido y, con todo el cuerpo cubierto de sangre, muere; al morir, empieza a aparecer la negrura, que, al igual que antaño los Cuervos, presagia la muerte del Hombre. Esta Reiteración o Rotación de las Influencias del Cielo, junto con el Calor que lo reseca y la Humedad que lo empapa en su veloz caída, acaba haciendo finalmente que muera y se corrompa de una forma natural, igual que el resto de las cosas.

Luego, al Cuerpo del Sapo empieza a faltarle el aliento, es decir, se acaban los Humos. Como ascienden y descienden tantas veces, los Espíritus comienzan a fijarse, convirtiéndose en Polvo y posándose en el fondo del Recipiente. El proceso de la Putrefacción comienza inmediatamente y los Espíritus permanecen en el fondo durante un tiempo, sin ascender.

Por lo tanto, controla bien el Fuego, no vaya a ser que tus Espíritus, completamente exaltados, asciendan tanto que la Tierra se apodere de ellos sin dejarlos volver. Esta Operación consiste, como dice *Morien,* en extraer el Agua de la Tierra y en devolvérsela, haciéndolo tantas veces y durante tanto tiempo como sea necesario para que la Tierra se pudra.

Negro como el Carbón se quedó el moribundo Animal.

Aquí acaba el Combate, porque en esta Tierra de Hojas todos los elementos se reconcilian y finalmente reina la Paz. Las diferencias Naturales se abrazan, sin tener otra forma que la del Polvo impalpable y sin tener otro color que el negro más negro.

A partir de este momento las Naturalezas se unen, hirviendo y cociendo todas juntas como si fueran Brea derretida e intercambiando sus formas. Ten cuidado, no siendo que obtengas, en lugar de un Polvo Negro como el que más —como el del Pico del Cuervo— un inservible Precipitado seco y medio rojo; este Precipitado de color Naranja indica, sin lugar a dudas, que se ha producido la Combustión de las Flores o Virtud de la Semilla Vegetativa. Yo mismo he dado este tropezón y por eso os prevengo.

Y de esta forma, ahogóse dentro del Veneno que por sus Venas fluía.

Teniendo en cuenta lo que anteriormente se ha expuesto y el fidedigno Testimonio de todos los Filósofos, parece ser Cierto que este trabajo no resulta demasiado aburrido ni demasiado agobiante, sino que, por el contrario, la Maestría se alcanza de una forma completamente natural. Porque, una vez que el verdadero cuerpo se Empasta con la verdadera Levadura, se calcina y se disuelve, convirtiéndose en un Agua negra que a veces cambia de color; esto indica que está expandiéndose la Tintura, que los Espíritus están Coagulándose y convirtiéndose en un Polvo negro, tan Negro como el Humo. Este es el Período de Oscuridad inferior, que es el Final del Eclipse, una fase de Contrición que empieza poco después de que aparezcan los Tonos Amarillentos, Azulados, etc.

Así estuvo, pudriéndose, durante Ochenta y Cuatro días.

La Calcinación se inicia con estas Variaciones de Color que tardan en aparecer, si el Proceso se ha llevado a cabo de forma satisfactoria, unos cuarenta y dos días; unos cincuenta como máximo. Después tiene lugar la Corrupción y la Putrefacción y todo adquiere un aspecto parecido al de la porquería esa que resulta de hervir Sangre o derretir Brea. Sin embargo, el color Negro, *por lo menos de una forma Superficial,* comienza a aparecer a los cuarenta días de haber removido la materia, siempre que el Proceso haya sido correcto y el Fuego adecuado; como mucho, puede tardar cincuenta días. Al decir que se ahoga en su propio Veneno y se cuece en su propio Caldo, el autor se está refiriendo a la Negritud total, a la lúgubre Oscuridad de la Podredumbre absoluta que, según él, dura ochenta y cuatro días. Los Escritores no se ponen de acuerdo en la duración de este período de tiempo, pero en lo que sí coinciden todos es en afirmar que para que el proceso llegue a su Fin tiene que transcurrir mucho tiempo. Según uno de ellos, «este color Negro, tan Negro como no hay otro, tiene una larga duración y no desaparece hasta que pasan por lo menos cinco meses». Según otro, «cuando el Rey entra en su Baño se quita la Túnica y se la da a *Saturno,* quien a su vez le da una Camisa Negra que él tendrá en su poder durante cuarenta y dos días». Y de hecho, transcurrirán cuarenta y dos días antes de que se ponga esta Camisa Negra en lugar de su Túnica Dorada; lo que ocurre es que todo lo que se refiere a sus Cualidades Solares se destruye, y, dejando de ser Fijo, Cetrino, Terrenal y Sólido, se convierte en una Sustancia Volátil, Negra, Espiritual, Acuosa y Flemática. La Putrefacción no comienza hasta que no han desaparecido las primeras Formas, pues el hecho de que un Cuerpo pueda recuperar su Naturaleza anterior implica que todavía no está bien molido y humedecido. Por lo tanto, muélelo y humedécelo hasta que veas que los Cuerpos dejan de ser Cuerpos y se convierten en Humo y Viento; observarás que, tras circular durante un período de tiempo equivalente a una estación, se asientan y se pudren.

Entonces, en el Oeste, *Saturno* regirá la Tierra Occidental, Retentiva y Otoñal; luego irá hacia el expulsivo Norte, donde *Mercurio* rige el Agua y donde la

Materia es Acuosa, Flemática e Invernal. Quienes dividen la Operación en dos partes, el Reinado de *Saturno* y el de su sucesor, *Júpiter,* le adscriben a *Saturno* toda la parte de la Putrefacción y a *Júpiter* el período de Variedad cromática. Después de *Júpiter,* que sólo reina durante unos veinte o veintidós días, viene la *Luna,* la tercera Persona, brillante y hermosa, que reina durante por lo menos veinte días, algunas veces durante veintidós. Al realizar el Cómputo lo mejor es contar desde el día cuarenta o cincuenta —partiendo del inicio de la formación de la Piedra— hasta el día catorce o dieciséis del Reinado de *Júpiter.* Durante este período, al lavar el *Latón* sigue apareciendo el color Negro, aunque mezclado con otros Colores más alegres. La suma de estos días es el tiempo que, según calcula el Autor, tarda en realizarse la Putrefacción; es decir, Ochenta y cuatro días. Teniendo en cuenta todo el período de Negritud, como hace *Augurellus,* trascurrirán cuatro veces once días con sus respectivas noches, lo que nos da un total de cuarenta y cuatro días. Según otro Filósofo «durante los primeros Cincuenta Días aparece el Verdadero Cuervo, luego, a los Setenta Días, la Paloma Blanca, y después, a los Noventa Días, el Color de Tirio».

Yo deseaba Experimentar para extraer aquel Veneno,
Por lo que coloqué el Cadáver sobre un Fuego muy lento.
Una vez hecho, ¡oh, Prodigio para la vista que no puede ser narrado!
Aparecieron Colores extraños por todo el Cadáver del Sapo;
Se volvió Blanco cuando los colores desaparecieron de allí;
Luego, tras teñirse de Rojo, se quedó para siempre así.

Daré mi propia Opinión: Mezcla bien las dos Naturalezas, y si las materias, tanto el Cuerpo como el Agua, son puras, la Temperatura interior del Baño es la correcta, y el Fuego externo el adecuado —no demasiado violento para que las Materias puedan circular bien, la Naturaleza Espiritual sobre la Corporal—, después de que pasen cuarenta y seis o cincuenta días podrás ver aparecer el principio de la completa Negritud; después de que pasen otros cincuenta y seis días, verás la Cola del Pavo Real y los Colores del Arco iris, y cuando transcurran otros veintidós o veinticuatro días podrás ver la *Luna* perfecta, el Blanco más Blanco, que, a lo largo de veinte días, o veintidós a lo sumo, se irá volviendo cada vez más brillante. Después de esto, tras aumentar ligeramente el volumen del Fuego, verás el Reinado de *Venus,* que durará cuarenta o cuarenta y dos días. A continuación vendrá el Reinado de *Marte,* que durará otros cuarenta y dos días. Luego seguirá el Reinado del *Sol flavus* durante cuarenta o cuarenta y dos días y, finalmente, aparecerá, de modo repentino, el Color Tirio, el Rojo Brillante, el Bermellón ardiente, el Rojo de la Amapola de la Roca.

Con el Veneno obtenido una Medicina he fabricado,
Que destruye el Veneno y salva al Envenenado.

Así, mediante la Decocción simplemente, estas Naturalezas cambian y se modifican maravillosamente, hasta convertirse en esa bendita Tintura que hace que salga todo el Veneno; a pesar de que antes de la Preparación fuera ella misma un Veneno letal, se convierte ahora en el Bálsamo de la Naturaleza, expulsando todas las Enfermedades y cortando de un Tajo todo aquello que resulta perjudicial para el frágil Cuerpo Humano, lo que resulta verdaderamente maravilloso.

Gloria al que nos proporciona estos secretos Métodos,
A El Dominios y Honor, Adoremos y Alabémoslo. Amén.

Ahora bien, DIOS es el único que puede dispensar estos gloriosos Misterios. He sido para ti un fiel Testigo de la Naturaleza y sé que todo lo que escribo es cierto y que todos los Hijos del Arte sabrán por mis escritos que soy, al igual que ellos, un Heredero de esa Habilidad Divina. Para que me entiendan los Ignorantes he escrito de la forma más clara que he podido y hubiera escrito más si el Creador de todas las cosas me hubiera dado mayor Autoridad. Para El y solamente para El sea todo el Honor, el Poder y la Gloria; para El, que creó todas las cosas y que concede el don de la sabiduría a quienes considera sus Siervos, retirándolo según su Voluntad; para El sea todo el Honor y la Adoración. Y tú, Hermano, que gozas de esta preciosa Bendición Divina, utiliza toda tu fuerza para servirle, porque todo se lo merece quien ha creado todas las cosas y para cuya gloria todas las cosas son y han sido creadas.

Fin de la Visión de Sir George Ripley,
Canónigo de Bridlington.

Ilustraciones

(Nota: Las fechas que aparecen a continuación corresponden a los manuscritos aquí reproducidos pero no a los textos originales que éstos contienen.)

1 Ouroboros, el dragón que se come su propia cola, simboliza la naturaleza cíclica y eterna del universo («desde el Uno hacia el Uno»). Aquí, como ocurre siempre en el arte alquímico, el colorido forma parte del mensaje: el verde es el color de la iniciación; el rojo se asocia con el objetivo de la Gran Obra.

Copia de Synosius realizada por Theodoros Pelecanos, 1478, Bibliothèque Nationale, París, Ms. grec. 2327, f. 297.

τοῦτ' ἔστιν τὸ μυσή   ριον ὁ οὐροβόρος δράκων
αὐτὸς · τοῦτ' ἔστιν   ἢ λέγωσας τῶν οω
κατ τῶν τῆς   εργασίαο
αὐτοῦ :·

Τα δὲ   τέχνης

ἀψ

Τὸ δὲ   του

Τὲ

Οἱ δὲ

ϙαι

σὺν θε   ἤτε

αὐτοῦ :·   του

ὡ τῇ αι αὐτοῦ   μα τ

θεαι σε · ϙοῖοσ   Τα δὲ

                                ἔστιν αι

                                αὐτοῦ τοῦτ' ἔστιν τὸ ὁ·

φῶτα τῶν νοῶ σπειρίων τῆς
ἐστι ταῦτα ἢ ἐὰν θωοῖσι :·
τρα σίγον αὐτοῦ ἐστιν ιωῆς,
αιγ ἤ σή ψας αὐτοῦ :·
πο δὲς αὐτοῦ οἱ τέσσαρες ϙαὶ
σωμίατης τε χνης

Δράκων τις τέσσαρακα ται φυλάττ ων τοῦ ναου τοῦτον
τοῦ χρóσο σμένον · πρῶτον θύσον ϙὴ ἀπο δερμα
τοσον, ϙὴ λαβών τα σα σαρκαν αὐτοῦ ἕως τῶν ὀστέων,
πρὸς τὸ στομ ίον τοῦ ναοῦ ποίησον αὐτο βαθις
ϙὴ ἀναβ ἔθι η ϙὴ εὑρίσεις ἔκα τὸ ζ η τοῦ μινου χρή
μα τοῦ δ' ἱ ερεῦ τοῦ χαλκανου μετετ ε θη τοῦ
χρώματος τῆς φύσεω ϙὴ γέγον εν ἀργυράνοσ :·
ὄν με τὸ λίγαν ου ἢ ἡμέρ αο ἐ ἂν θελήσας εὑρί
σεις αὐτόν ϙὴ χρύσαγον :· δεῖ τοῦ θείου ἀκατα
λα βῶν θ σον ἄ σον ϙὴ λά ϙωσον οὖρ ω ἀφθ ό ρου · ἀ τα
λα βών ἄλμ μιν δύναι αγ ε ψε ἕως α δη πλεύσον ϙὴ γί
νε ται ἄκατον · δοκίμασον ϙὴ ἕτερον ϙὴ βλέπον

2

2 El signo de Aries se asocia al nombre de la Materia Prima o sujeto de la Obra. El lobo gris (antimonio) devorando a Mercurio indica que el sujeto debe purificarse, de la misma forma que el antimonio purifica al oro.

3 La sublimación tripartita, que se realiza por medio del fuego secreto, reduce al sujeto a sus raíces, a su estado radical.

Speculum veritatis, siglo XVII, Biblioteca Apostólica Vaticana, Cod. lat. 7286, f. 2, 3.

3

Páginas siguientes 4 El andrógino representa la conjunción de los opuestos, un principio cósmico que, tanto en el pensamiento oriental como en el occidental, se ejemplifica y simboliza de forma erótica. Los alquimistas utilizan los pájaros, normalmente las águilas azules, para referirse a las sucesivas volatilizaciones o sublimaciones que tienen lugar durante el desarrollo de la Obra. El águila que se eleva levantando al andrógino y las águilas muertas que están bajo sus pies, simbolizan respectivamente la volatilización de lo fijo y la fijación de lo volátil.

5 Esta enigmática criatura representa, sin duda, la armonía que subyace a «nuestro caos», es decir, a la Materia Prima. Sus cabezas, sus miembros y su cola muestran diferentes combinaciones de los Cuatro Elementos y de lo caliente y lo frío, lo húmedo y lo seco, lo volátil y lo fijo.

Aurora consurgens, finales del siglo XIV, Zentralbibliothek, Zürich, Cod. rhenovacensis 172, guardas.

6

6 Aquí observamos cómo la Conjunción de Naturalezas se dispone a separar la luz de la oscuridad, a conseguir que el blanco emerja del negro, lo que constituye el nacimiento de Mercurio.

7 Vulcano, el fuego secreto, anima a los pájaros a que vuelen; esto indica que tienen lugar siete sublimaciones. Las gallinas indican la graduación del fuego (el calor que incuba el Huevo Filosofal o recipiente alquímico); Mercurio se convierte en el Hermafrodita.

Speculum veritatis, siglo XVII, Biblioteca Apostólica Vaticana, Cod. lat. 7286, f. 4, 5.

38

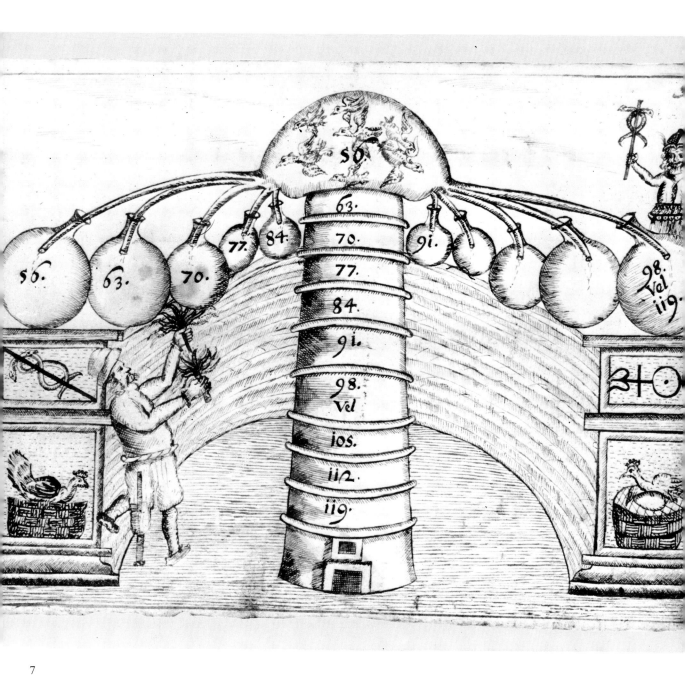

7

Páginas   8 Esta ilustración, en la que se observan las sucesivas etapas de la «Obra sutil», nos
siguientes   muestra al maestro preparando los ingredientes. Un ayudante separa «la tierra del
fuego y lo sutil de lo espeso», y otro, mientras realiza repetidas destilaciones en un
recipiente llamado pelícano, observa la fase de transición, denominada Cola del Pavo
Real, en la que aparecen los colores brillantes (véase Iris, ilustración 57).

9 Cuatro importantes alquimistas presiden la Obra: Geber, Arnaldo de Villanova,
Rhasis y Hermes Trismegisto. El ayudante de la izquierda está machacando la materia
bruta en un mortero; los dos del medio la controlan para que absorba continuamente
la humedad que ella misma desprende; el de la derecha, bajo los auspicios de Hermes,
está «cociendo lo blanco» *(albedo)* repetidas veces para hacerlo germinar.

Norton's Ordinall, siglo XV, Museo Británico, Londres, Apéndice 10.302, f. 37 v., 32 v.

39

ye may not w metalle or qwyk sylue be gynn
To make Elixer if ye entende to wynn
yett if ye destroye there hole compyhaton
Som of there copynentis wil helpe i relucon
And that is nothing els of y con or that odre
But only magncha i litarge hir brodre

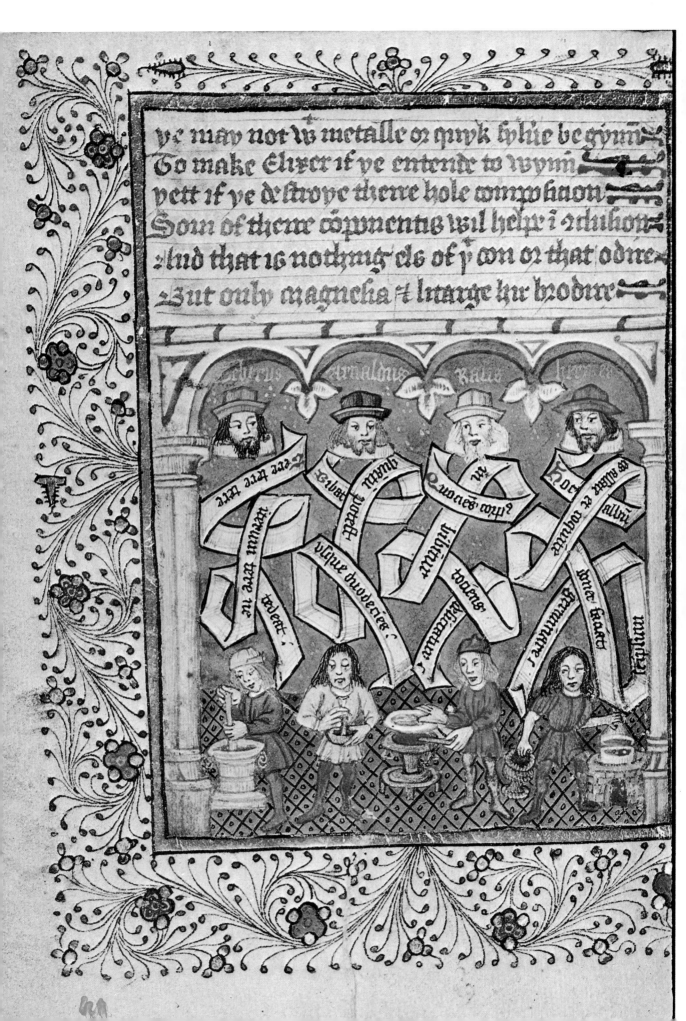

10

10 Los filósofos veneran el Mercurio que han preparado. Algunos, aunque no todos, le ofrecen oro.

11 Aquí observamos cómo «nuestro mercurio» es liberado de las impurezas externas. Esto es un ejemplo de un truco frecuentemente utilizado por los alquimistas para confundir a los ingenuos: el comienzo de la Obra se sitúa en el centro de una secuencia de doce cuadros.

Speculum veritatis, siglo XVII, Biblioteca Apostólica Vaticana, Cod. lat. 7286, f. 6, 7.

I I

Páginas
siguientes 12 Un alquimista árabe, Senior Zadith, consulta las Tablas de Hermes. Delante de él aparece el Elixir. Las águilas con los arcos constituyen una elegante combinación de opuestos. Las águilas (véanse ilustraciones, 4, 7), cuyo número varía según las diferentes fuentes, simbolizan las sucesivas sublimaciones. Los arcos y las flechas representan la fijación, al mismo tiempo que poseen un significado astrológico (Sagitario).

13 Aquí observamos la lucha entre el Sol y la Luna, que representan lo masculino y lo femenino, lo fijo y lo volátil, el azufre y el mercurio de los filósofos. El encuentro de los opuestos puede también verse como un encuentro sexual (véanse ilustraciones 4, 37, 38). En la alquimia, al igual que en la doctrina taoísta del Yin y el Yang, cada principio contiene a su opuesto; de ahí los escudos.

14. Aquí observamos cómo el sujeto verde (en su estado inicial) es vencido y fijado por una pareja antitética: el guerrero solar y el lunar, ahora vestidos de una forma algo diferente. En este caso se dice que son «su hermano y su hermana», sin los cuales nunca podría germinar ni convertirse en la Piedra Filosofal. La hermana, alias Diana, tiene la piel negra del *nigredo* y el vestido blanco del *albedo*.

Aurora consurgens, finales del siglo XIV, Zentralbibliothek, Zürich, Cod. rhenovacensis 172, f. 3, 10, 36.

at / qd dicat spus doctrine / filije disciplie
de spu septiformis vtute / quo omns implet scip
turam / qd pli insinuant hijs verbis / Distilla
septies / et separasti ab humid̄e corrūpenre /

De domo thaumaria qua sapia sudauit sup petrum
c· 10·

Sapiencia edificauit sibi domu / qua qs
introierit saluabit / et pasua iuueiet
teste ipsa Inebrabu ab uber̄e. Domus
tue / et melior e dies vna in atrijs eius / sup
milia / O quā bti qui hitant in domo har / In
ea namz qui petit accipit / et q̄ querit inue
nit / et pulsanti apietur / Nam sapia stat ad

Hier xmt̄ petit ad ipm Petru̅ consile hijs sicu̅t

nat vngendo / Dicut n phi / tp̄ si datm̄s sint
de eo in aqua ut vino tepido palidios̄ frenc

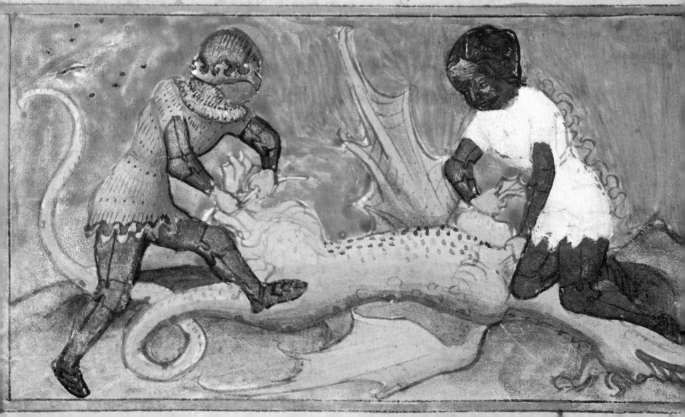

15 El recipiente o Huevo Filosofal se pone en manos de
Vulcano (ver ilustración 7), a fin de que nazca el pollito
de los sabios.

16 *Solve et coagula* (véase pág. 16); Mercurio traspasa
con su espada al rey y de esta forma lo fijo se vuelve
volátil. Al mismo tiempo, Cadmo, el azufre, fija lo volátil al traspasar con su espada a la serpiente. Según la
mitología griega, Cadmo mató a la serpiente que vigila-
ba la fuente Castalia y sembró sus dientes, que se con-
virtieron en guerreros.

Speculum veritatis, siglo XVII, Biblioteca Apostólica
Vaticana, Cod. lat. 7286, f. 8, 9.

16

Páginas
siguientes 17 Todos los mitos grecorromanos se prestan a interpretaciones alquímicas. Aquí tenemos a Eneas, como en el Libro VI de la *Eneida* de Virgilio, cogiendo la Rama Dorada que le permitirá atravesar el Infierno sin sufrir ningún percance (de la misma forma que el sujeto resiste el fuego y continúa vivo). El árbol es el Arbol de la Vida de los alquimistas. Las tres figuras (que representan las tres generaciones de la familia de Eneas: Anquises, Eneas y Silvio) llevan ropajes alquímicos de color negro, blanco y rojo. Los pájaros de la sublimación vuelan en la parte superior. El cuervo con la cabeza blanca indica que del negro *(nigredo)* surgirá el blanco.

Salomon Trismosin, *Splendor solis,* siglo XVI, Museo Británico, Londres, Harley 3469.

18 Las fuentes gemelas representan las dos aguas, que son (en un sentido alquímico) sulfurosa la una (roja) y mercúrica la otra (blanca). Están unidas por un principio unificador, el Caballero, que esgrime una espada, el fuego secreto. Los colores de su armadura —negro, blanco, amarillo de transición, rojo y oro—representan las diferentes etapas de la Obra.

Salomon Trismosin, *La Toyson d'or* [versión posterior del *Splendor solis*], siglo XVIII, Bibliothèque Nationale, París, Ms. francés 12.297, f. 14.

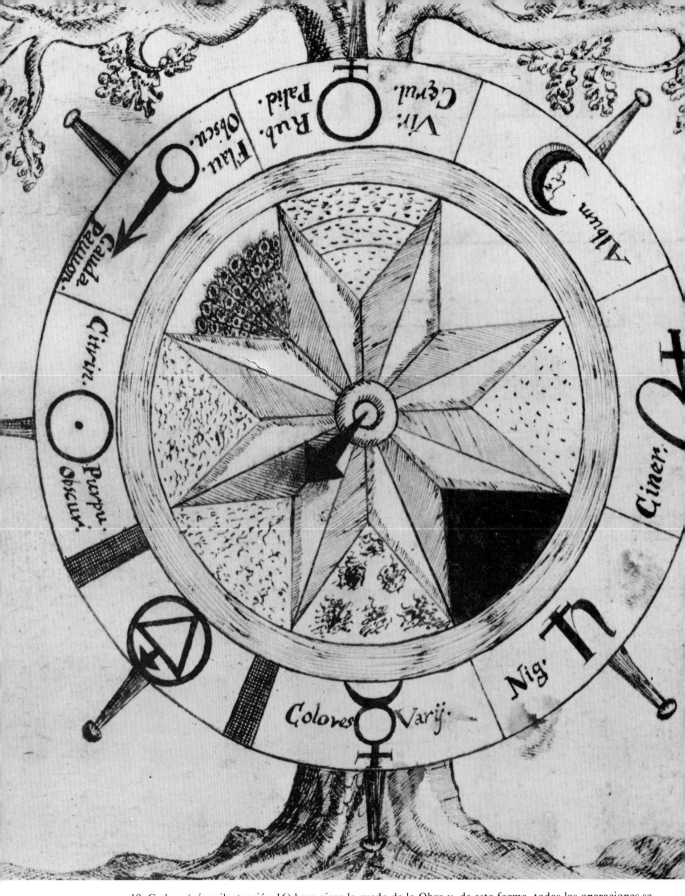

19 Cadmo (véase ilustración 16) hace girar la rueda de la Obra y, de esta forma, todas las operaciones se repiten. Utilizando «nuestro azufre» mete el primer clavo, lo que significa que fija la materia volátil, al hacer que se digiera al mismo tiempo que lo fijo. La digestión engloba toda la secuencia de operaciones: destilación, sublimación, embebeción, ceración, solución, coagulación, etc.

Speculum veritatis, siglo XVII, Biblioteca Apostólica Vaticana, Cod. lat. 7286, f. 10.

Páginas siguientes

20 Según algunos, en las ilustraciones del *Rosarium,* el león verde está comiéndose el Sol; pero la sangre nos hace pensar en otra interpretación más verosímil. El color del león nos indica que se trata de la materia en un estado verdoso, bruto y básico; de ella se extraerán los principios sulfurosos y mercúricos. Según la literatura alquímica la «sangre del león verde» representa al Mercurio Hermético, que sale de su boca junto con el Sol (el Azufre de los Sabios).

21 La corona de la perfección descansa sobre la cabeza del hermafrodita; ahora, lo fijo y lo volátil se unen para siempre. La hidra que está dentro de la copa simboliza al Elixir y al triple dominio que éste ejerce sobre los tres reinos de la naturaleza, mientras que la serpiente solitaria sugiere la Unidad que nace de la Trinidad. El dragón de las tres cabezas sirve para recordarnos que el éxito de la Obra depende de tres factores. El pelícano simboliza la destilación cíclica y hace referencia a la Exaltación de la Quintaesencia.

Rosarium philosophorum, siglo XVI, Stadtbibliothek Vadiana, St. Gallen, M. S. 394 a, f. 97, 92.

19

perfectionis ostensio

22 Después de que gire tres veces la rueda (los tres trabajos o secuencias de operaciones que componen la Obra) y tras una nueva fermentación y nutrición, la naturaleza del Elixir, el Hijo del Sol, nacido del Huevo Filosofal, se fija con un clavo de tres puntas.

23 Los reyes de la tierra adoran al Perfecto Rey Rojo o azufre de los filósofos, el Esplendoroso Señor de los Tres Reinos.

24 Una vez que el Elixir ha aumentado y mejorado su calidad, muestra sus virtudes, transmutando los «planetas terrestres» o metales terrenos. El aumento y la mejoría se producen cuando se vuelve a realizar la Obra; esta vez se utiliza como sujeto la Materia Exaltada en lugar de la *Materia Prima*. Véase la ilustración 3, que se refiere a esta parte de la Obra.

Speculum veritatis, siglo XVII, Biblioteca Apostólica Vaticana, Cod. lat. 7286, f. 11, 12, 13.

Páginas siguientes 25, 26 Según el filósofo árabe Haly, la raíz de todas las cosas es verde. Se trata del sujeto en estado primario, que, aunque todavía es inmaduro, está listo para desarrollarse. Las siete amapolas verdes se convertirán luego en una flor dorada, como muestra el dibujo de la derecha. El color rojo de la ropa del rey simboliza el estado de perfecta fijación y perfección fijada, que se conoce con el nombre de Rosa Roja. (Véase también ilustración 63, págs. 118-19.)

Johannes Andreae, siglo XV, Museo Británico, Londres, Sloane 2560, f. 5, 15.

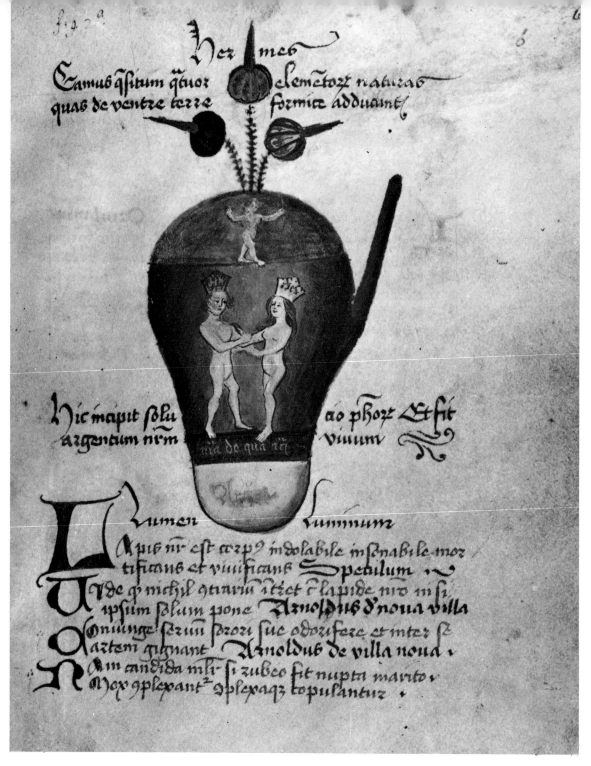

27

27 Durante el primer proceso de solución el rey y la reina (véase el comentario a la ilustración 25-26) se despojan de las impurezas hasta quedar desnudos.

28 La conjunción o perfecta solución: los dos cuerpos se unen, se disuelven y se convierten en líquido.

Johannes Andreae, siglo XV, Museo Británico, Londres, Sloane 2560, f. 6, 7.

Páginas siguientes   29 El manuscrito del que se han extraído las ilustraciones 29-34 y 46, conocido como el *Nozze,* habla de una boda histórica, celebrada con excepcional boato; las ilustraciones, sin embargo, demuestran que hay algo más. Se trata de una boda alquímica, y entre los invitados figuran los antiguos dioses planetarios. Los dos pajes negros que aquí aparecen representan el color negro que luego se volverá blanco (compárese con el cuervo simbólico de la ilustración 17); el fermento blanco, o semilla, precede siempre al rojo, que todavía permanece escondido (en la otra cesta). La lanza es el fuego secreto (que en otras ocasiones aparece representado por una espada, una flecha o el garrote de Hércules).

30 El principio masculino, la «semilla» del principio de la Obra, también es conocido como el Anciano. Aquí vemos cómo se casa con el principio femenino en las entrañas de la tierra; en la cima del monte hay un ángel (volátil) que nos invita a acercarnos y que está en lo alto de un castillo rojo (fijo). Los alquimistas dan a este anciano el nombre de Boaz, el granjero de Belén cuya esposa era Ruth la espigadora.

Nicola d'Antonio degli Agli, 1480, Biblioteca Apostólica Vaticana, Cod. Urb. lat. 899, f. 106 v., 91.

dui grandissimi cisti doro pieni &
colmi di uarie confectioni. Et in
meço del camello era un garçone
ethiope negro che mettendo ambe
dui le mani aluna mo allaltra di
queste ceste spargeua & gittaua dic
ti confetti al populo per tutta la sala
& che era bellissima & mirabil cosa
ad uedere·

31 Los siete dioses planetarios se asocian con los metales (los «planetas terrestres»). Sin embargo, los vínculos no deben juzgarse por su apariencia. Así pues, la Luna no representa aquí la plata «vulgar». Los cuernos y la flecha hacen referencia al fuego secreto. «Diana desnuda» representa el agua que lava el *nigredo*.

Un buen día, Mercurio interpuso su bastón entre dos serpientes que estaban peleando y ellas se enroscaron alrededor del bastón; de ahí su atributo, el caduceo, símbolo de la conjunción armónica de los opuestos.

32 Marte agarra una daga, que tiene la empuñadura de oro y la vaina roja, y una espada de oro y plata; lleva una estola blanca. No representa, por lo tanto, al hierro vulgar, sino al sujeto en su paso por el reinado de Marte, es decir, cuando está alcanzando un cierto grado de perfección.

Júpiter (cuyo metal es el latón) se compara a menudo con el calor natural que genera todas las cosas; habita en el cielo y busca sus placeres en la tierra.

Páginas siguientes 33, 34 Venus comparte con el cobre vulgar el mismo símbolo; en este caso, al llevar el yelmo alado de la volatilidad y la flecha del fuego secreto, representa el elemento mercúrico, blanco y femenino del drama de la Gran Obra. Lleva dentro (ilustración 13) su principio opuesto, por lo que el ropaje interior es masculino, rojo y sulfuroso.

Se dice que la Piedra Filosofal se consigue mediante la conjunción del Sol y la Luna bajo el signo de Leo. El Sol, en este caso, no representa al oro, sino al azufre rojo de los filósofos (ilustraciones 23, 26). Nótese el triple látigo y las riendas, que representan el dominio que ejerce sobre los tres reinos: el animal, el vegetal y el mineral.

Nicola d'Antonio degli Agli, 1480, Biblioteca Apostólica Vaticana, Cod. Urb. lat. 899, f. 97, 99, 98.

·SOL·

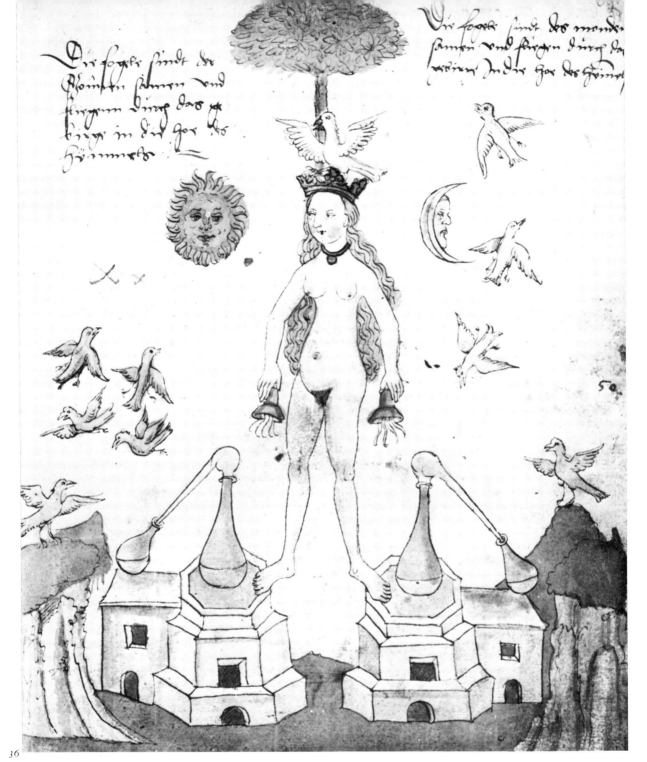

36

35 Cuando hablan del Juicio de París, los alquimistas se refieren al final del Primer Trabajo, a la fijación de lo volátil; de esta forma, la fabricación de la Piedra es el sitio de Troya y la del Elixir, la caída.

36 El Fuego y el Agua, dadas sus propiedades de calor y humedad, se unen; la unión tiene lugar en el Aire y quien la realiza es Mercurio.

De Alchimia, siglo XVI, Bibliotheek der Rijksuniversiteit, Leiden, Cod. Voss. chem. f29, f. 78, 89.

Páginas siguientes 37, 38 Según Pernety, sólo hay un proceso de solución, aunque adopta diferentes formas. El *Donum Dei,* que se halla dentro de la silueta del Huevo Filosofal, muestra algunas de estas uniones de opuestos. La perfecta solución tiene lugar durante el Primer Trabajo (ilustración 28); se trata del momento en que lo sólido, en virtud del espíritu volátil que lleva dentro, se disuelve (obsérvese el cuello del recipiente) y se une al contenido líquido o volátil del recipiente.

Durante la putrefacción, la pareja se disuelve en el *nigredo* negro; no hay generación sin corrupción. Los amantes atraviesan la muerte para producir el niño perfecto.

Pretiosissimum Donum Dei (per) Georgium Anrach, siglo XVII, Bibliothèque de L'Arsenal, París, Ms. 975, f. 13, 14.

Aquæ

39 A partir de la muerte surge la nueva vida. El cuerpo se queda abajo, mientras que la parte volátil se eleva; de la misma forma, el alma y el espíritu del hombre abandonan el cuerpo cuando la muerte los libera.

40 No hay generación sin corrupción. No hay vida sin muerte (ver ilustraciones 31, 38). La negrura de la putrefacción debe preceder a la blancura, al igual que la noche precede al día.

Anónimo, siglo XIV, Biblioteca Mediceo-Laurenziana, Florencia, Ms. Ashburn 1166, f. 16, 17v.

Páginas siguientes 41, 42 De nuevo aquí, al igual que en la ilustración 37, aparecen los amantes, que representan la solución perfecta de los opuestos (sol y luna) en las primeras aguas —el acontecimiento más importante del Primer Trabajo (ilustración 41).

En el Segundo Trabajo se vuelve a repetir la unión, apareciendo los dos cuerpos en estado volátil (por esto las alas); es lo que se conoce como fermentación.

Rosarium philosophorum, siglo XVI, Stadtbibliothek, Vadiana, St. Gallen, Ms. 394 a, f. 34, 64.

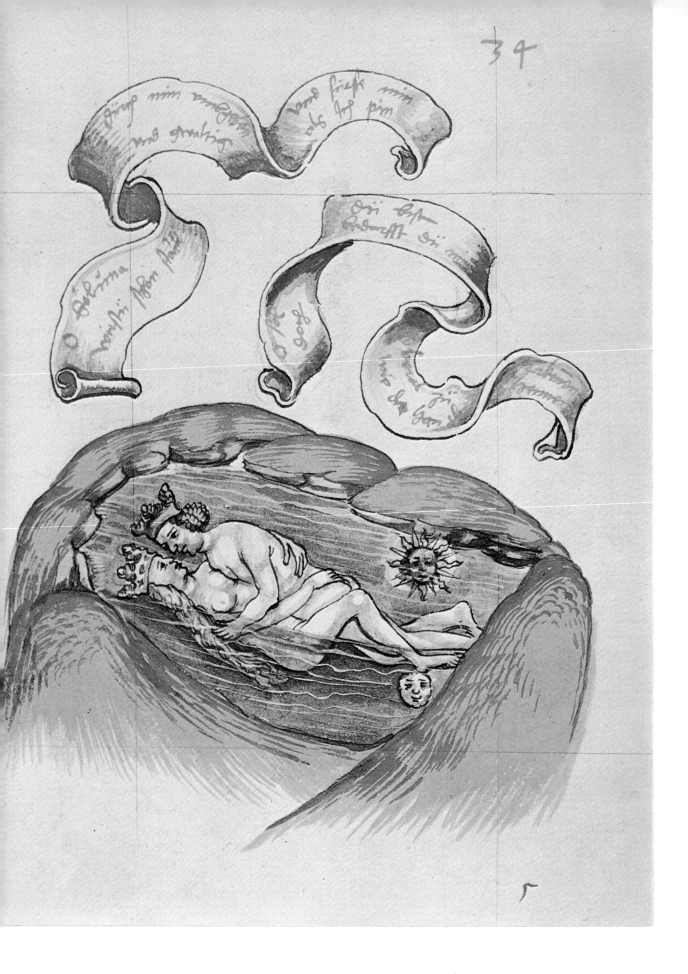

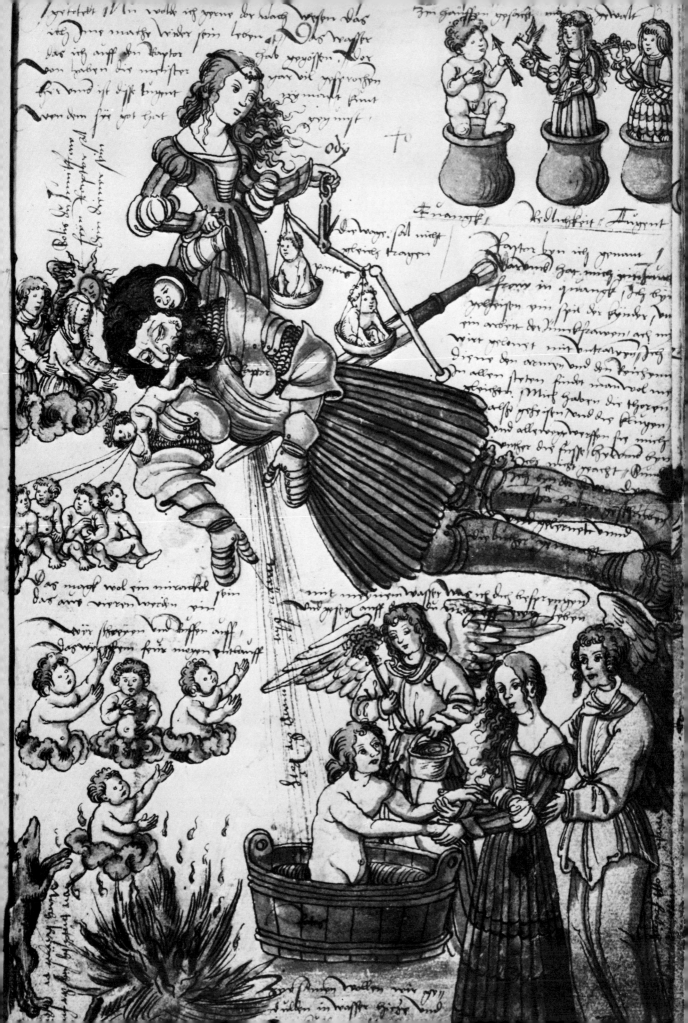

44

43 Saturno echa por la boca los hijos que anteriormente devoró (ver ilustración 58). El es el plomo de los sabios, es decir, la Materia Prima una vez que se ha humedecido y calentado de forma adecuada. Según Senior, existe un ser vivo que deja de ser mortal cuando se le asegura y confirma la posesión de la vida mediante la multiplicación continua y eterna (ilustración 24).

De Alchimia, siglo XVI, Bibliotheek der Rijksuniversiteit, Leiden, Cod. Voss. chem. f. 29, f. 73.

44 Pan es el hijo de Mercurio; su cabeza y su cuerpo componen el jeroglífico del mercurio de los filósofos (pág. 126), solar y lunar a la vez. La estrella de la derecha es el símbolo de la sal armónica, el tercer componente del Arte (que a menudo es llamado Arte de la Música).

Anónimo, siglo XIV, Biblioteca Mediceo-Laurenziana, Florencia, Ms. Ashburn 1166, f. 18.

Páginas 45 El Monte Helicón es el lugar donde habitan las nueve Musas. El Anciano coronado (véase ilustración
siguientes 30) está rodeado por las Musas, que son las doncellas de Apolo o el Sol (ilustración 34) y que representan la pureza y la armonía. En la cima de la montaña puede verse el Arbol de la Vida y las fuentes gemelas (ilustraciones 17, 18).

Nicola d'Antonio degli Agli, 1480, Biblioteca Apostólica Vaticana, Cod. Urb. lat. 899, f. 110v.

46 Al principio femenino se le atribuye en la mitología tanto la capacidad destructora como la creadora; así pues, las Musas crean, las Sirenas destruyen. Las Sirenas atraen a los marineros, conduciéndolos a la muerte, de la misma forma que el mercurio de los sabios (ilustración 22) hace que se ahogue su oponente sólido. Nótese la presencia de los colores de la Obra (verde, negro, blanco, rojo, oro) y los emblemas de los Elementos.

Solidonius, siglo XVIII, Bibliothèque de L'Arsenal, París, Ms. 973, f. 12.

Vogliamo ancor de suoi libretti ornate
Chesono de eloquentia larghi fiume
Riceue adunq sue sublime carte
Et fa che anostri studij sia benigna
Cum opra & cum ingegni in omni parte
Accio che di maior ti facci degna

MONS ELICON.

ASTRONOMIA
RETTORICA
GRAMATICA

Figura II.

SA TVR NVS.

Collatione gr… nde del… Lunedi a oe.

Aucua el præfato Signor Misser Constantio
per prima facto fare gran numero di Castelli di gucharo con tôti merli, spirtitelli, arme,
arbori, fiori, animali, & altre cose tutte di guca-
ro: che erano lauorati ad oro, & colori fini grâdi
& larghi quanto potea pôtare uno homo. & olt
de questi castelli molti uasi allanticha: & aquile
& lioni & altri animali di guchero tutti boni da
mâgiare pieni de banditole doro: & hauea or-
dinato ottanta gioueni equali: liquali haueano
gonellini cutti ameça costa di tela dorata. &
frappata cô le mani ch fino admezo braccio alla fran-

47

47 En otro dibujo, extraído de la serie de dibujos de los dioses planetarios (ilustraciones 29-34), vemos a Saturno sujetando la guadaña, su atributo habitual; representa el plomo de los sabios (ver ilustraciones 43, 58).

Nicola d'Antonio degli Agli, 1480, Biblioteca Apostólica Vaticana, Cod. Urb. lat. 8999, f. 99.

48 El mercurio de los filósofos (ver ilustraciones 22, 44). El *Turba*, de donde se ha extraído este dibujo, es un texto clásico en el que los antiguos filósofos hablan sobre la naturaleza del mundo y la materia.

Turba philosophorum, siglo XVI, Bibliothèque Nationale, París, Ms. lat. 7171, f. 16.

Hie ist geboren Solis und Lune kindt
Desgleichen nyemant auf Erden findt
Und in die weltt dort gern er khumt
Mercurius philosophorum ist er genennt.

Mercurius phorum

48

Páginas siguientes
49, 50 La teoría de los Cuatro Elementos siempre ha tenido como corolario la existencia de un quinto, el Eter o la Quintaesencia. En el dibujo observamos cómo este último es obtenido a partir de los Elementos (el anillo) por medios alquímicos (el pelícano) y cómo se exalta o perfecciona (el segundo símbolo circular que rodea al fénix que se alza sobre las llamas). Se nos dice que «esta perfección no se obtiene mediante las operaciones de la química vulgar, sino a través de una simple digestión ayudada por el fuego filosofal».

Sapientia veterum philosophorum sive doctrina eorundem de summa et universali medicina, siglo XVIII, Bibliothèque de L'Arsenal, París, Ms. 974, figs. XXXVII, XXXVIII (ver página 108ff.).

Figura XXXVII.

Exaltatio V.ᵃ Essentiæ

Figura XXXVIII.

V.ª Essentia Exaltata

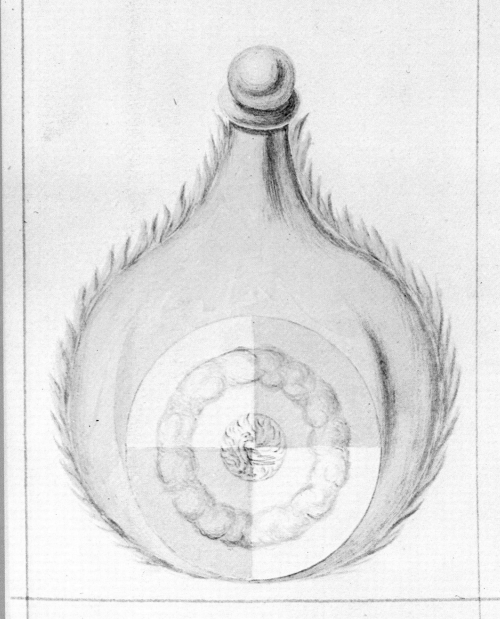

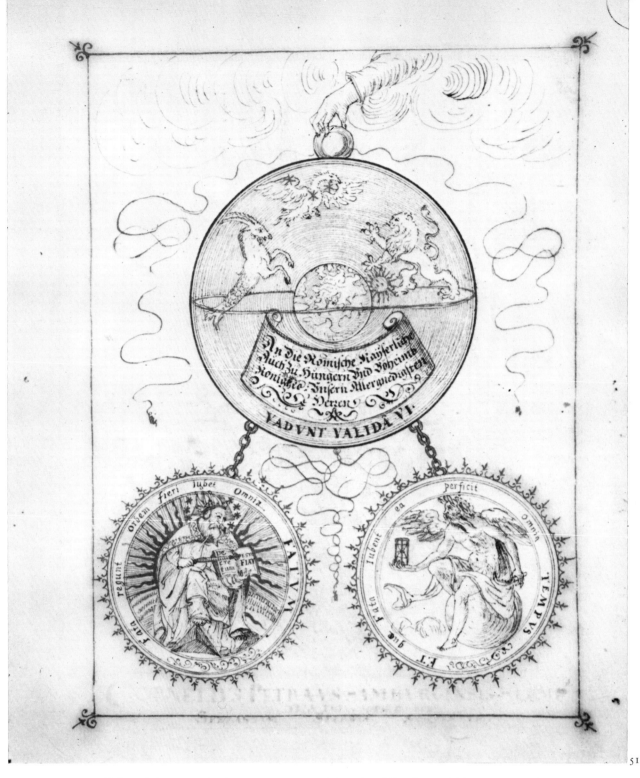

51 La tríada macrocósmica compuesta por el Mundo, el Destino y el Tiempo se mantiene en equilibrio gracias a la mano de Dios; su reflejo en el nivel macrocósmico es la tríada alquímica: León, Aguila y Capricornio.

52 Ex-libris de un filósofo hermético. En el escudo se puede apreciar cómo a Mercurio por una parte lo impulsa hacia abajo una pesada carga (fijación) y por la otra lo impulsan hacia arriba sus propias alas (volatilización).

Sylva philosophorum, siglo XVII, Bibliotheek der Rijksuniversiteit, Leiden, Cod. Voss. chem. q. 61, f. 2, 3.

CORNELIVS·PETRÆVS·HAMBVRGENSIS·HERME„
TICÆ·PHILOSOPHIÆ·STVD:
·SPERANTEM·   ·SPERATA·   ·SEQVVNTVR·

*Páginas
siguientes*
53 Las nueve Musas aparecen aquí con su patrono, Apolo, que va sentado en su carro y que sostiene un arco y la flecha del fuego secreto. El color rojo (ilustración 34) representa el azufre de los filósofos; el cuervo, el *nigredo*. El Arbol de la Vida (que está dentro del carro) frecuentemente es asociado con Apolo.

54 Es probable que la desnudez y la blancura del rey, así como los cuernos de su cabeza, hagan referencia a la operación de la calcinación o purificación que se asocia con el signo zodiacal de Aries, el Carnero (ver el comentario a la ilustración 2). La mujer lleva un manto rojo ribeteado en gris, el color de Júpiter; el cinturón es de color negro, el color de Saturno. El sujeto emerge de las tinieblas de la muerte y por eso lleva ceñida la corona de la victoria. Las Harpías, hijas de la Tierra y el Mar, eran tan mortíferas como sus primas las Sirenas (ilustración 46); su hermana era Iris (ilustración 57).

Anónimo, siglo XV, Biblioteca Apostólica Vaticana, Cod. Pal. lat. 1066, f. 218v., 222v.

55

55 La alqumia está llena de referencias a la muerte, al enterramiento y la resurrección que indican que el sujeto está encerrado dentro del Huevo a fin de que se pudra y renazca en la gloria. Con mucha frecuencia los filósofos han analizado la vida de Cristo a la luz de esta interpretación esotérica.

56 El Rey Verde ha de morir. Las horripilantes Aves de Estínfalo (portadoras de la muerte, como las Harpías de la ilustración 54) reclaman su presencia y las tres Parcas se disponen a acabar con su vida. Atropo corta el hilo que hilara Cloto y midiera Láquesis. El rey representa la raíz, la fuente primordial de la que todo brota.

57 La mujer es Iris, el arco iris; es la mensajera de Juno que anuncia la muerte a las mujeres, de la misma forma que Mercurio se la anuncia a los hombres. En la alquimia, liberar las almas de las mujeres significa sublimar las partes volátiles del residuo que queda tras la fase del *nigredo*; al hacerlo, surgen los colores del arco iris, también llamados Cola de Pavo Real.

58 Saturno sostiene una hoz; Rea, una piedra. El primero castró y derrocó a su padre, Urano; luego, a fin de evitar sufrir el mismo destino, se comió a sus propios hijos. Una de estas veces, Rea sustituyó a uno de sus hijos por una piedra y el hijo, Júpiter, creció y acabó castrando y deponiendo al padre. Este tipo de mitos refleja la naturaleza cíclica de la Gran Obra.

Anónimo, siglo XV, Biblioteca Apostólica Vaticana, Cod. Pal. lat. 1066, f. 218, 221, 223, 226.

59

59 De nuevo aparece el rey a punto de morir (ver comentarios a las ilustraciones 55, 56). Las ocho águilas simbolizan las diferentes sublimaciones. En la mano izquierda el rey sostiene el orbe, que es un símbolo del nombre del sujeto y que corresponde al signo celeste de Aries. Según esto, la muerte a la que se alude consiste en la fijación de lo volátil, por lo que el Agua se convierte en Tierra.

60 Mercurio mata (o fija) a Argos, el guardián de los cien ojos. Argos tiene a su cargo a la vaca Io, que, según los griegos, cambia de color de acuerdo con las diferentes fases de la Luna: blanco, negro y rojo. Los ojos de Argos sirvieron para decorar la cola del pavo real (véase ilustración 57). Las armas hacen referencia, como siempre, al fuego secreto.

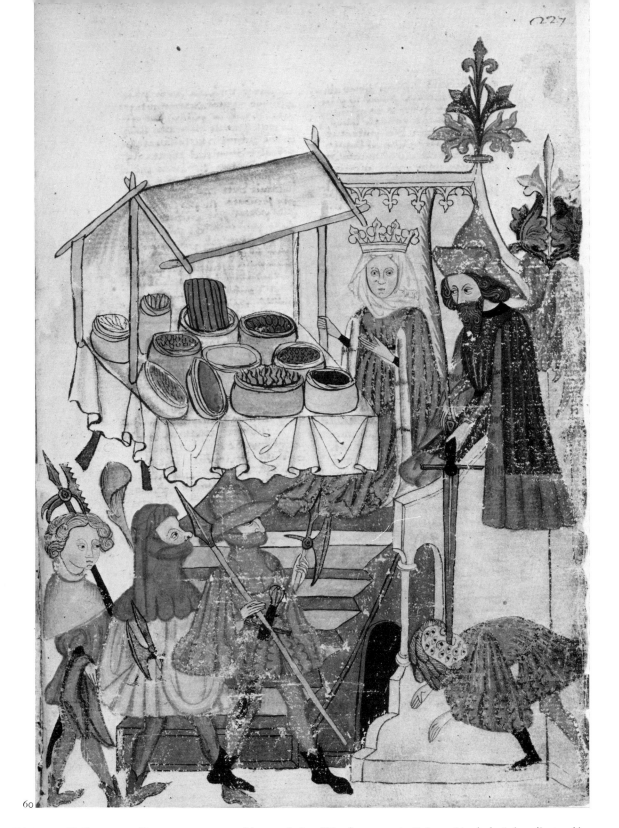

60

Páginas
siguientes 61 En un castillo, que representa el horno de los filósofos, mora la Señora Alquimia (véase ilustración 22) con su consorte el rey Atenor, rodeada de gran pompa. Ella, obedeciendo a la máxima que afirma que «no hay generación sin corrupción», lleva un escudo con la cabeza de Medusa, que es el emblema de la negra putrefacción, indispensable para realizar el proceso alquímico. En la parte inferior aparece otra vez, ahora bajo la forma de Iris (ilustración 57); en la parte de la derecha aparece Venus sobre la concha, con el cuerpo cubierto de rosas: el rojo brotando del blanco.

62 En la parte superior aparece Cerbero, el perro de las tres cabezas, guardián del infierno, que devora al sujeto de la Obra en ocho ocasiones, gracias a la mediación del fuego secreto. Abajo se observa cómo el sujeto, limpio de impurezas (véase ilustración 27), queda listo para ser cocido en el interior del Huevo hasta alcanzar la perfección.

Anónimo, siglo XV, Biblioteca Apostólica Vaticana, Cod. Pal. lat. 1066, f. 224v, 227, 230v., 239.

91

Ymago Cupiditatis sic depingitur

Ymago auaricie sic depingitur

Dealbate latonem. et reponite libros Arnoldꝰ
ne corda vra corrupat̄. q̄ zeb nr̄ sciꝰ est
et scꝰ indiget subsidio Qui dealbaut me · ille
facit me rubeū Albū et rubeū ex vna radice p
cedut Q̄uod fit in albo · fit in rubeo Arnoldus
Jgit̄ fili pḣic opariꝰ et dealbat · et tminu
In ipo ope transcendis Beatiꝰ eris Hoc si su
bito videris · Admiracio timoꝛ et terror tibi euciet
Q̄que tere iteriza et ne tedeat te Speculū
  iterizare · quāuis totū opꝰ sit longiquū · q̄
p longa decocoēz sit Speculum

64

63 La Rosa Blanca representa la blancura que aparece al final del Segundo Trabajo.

Johannes Andreae, siglo XV, Museo Británico, Londres, Sloane 2560, f. 14.

64 Esta ilustración, perteneciente a la época de George Ripley, complementa perfectamente su «Visión» y el comentario de Philalethes (véase pág. 22).

John Dastin, *De erroribus,* siglo XV, Museo Británico, Londres, Egerton 845, f. 17v.

Páginas siguientes 65 «Pájaro de Hermes soy llamado, me como mis alas para quedar amansado.» Este pájaro, que se come a sí mismo, como Ouroboros (ilustración 1) y el pelícano (ilustración 22), constituye el emblema del mercurio cíclicamente sublimado, del que se afirma que deja caer una pluma siempre que se eleva.

Versión del *Ripley Scrowle* realizada por James Standysh, siglo XVI, Museo Británico, Londres, Apéndice 32621 (detalle).

Ilustraciones documentales
con comentarios

1 El arte real o sacerdotal

Los dibujos que ilustran la *Philosophia reformata* de Mylius, publicada en Frankfurt en el año 1622 por Lucas Jennis, tienen entidad propia y, por tanto, no ha de recurrirse necesariamente al prolijo e intrincado texto de Mylius para poder apreciarlos. Constituyen una de las mejores colecciones de grabados alquímicos que existen. Muchos han sido utilizados por otros alquimistas para ilustrar sus propios textos.

En esta secuencia aparecen repetidamente muchos de los principales temas alquímicos, especialmente la boda mística, la muerte y la resurrección, la unión de los opuestos, el nacimiento y la exaltación. También se reconocen fácilmente muchos de los símbolos: el león y el sol, Mercurio con el caduceo, el rey y la reina, el dragón dentro del horno, la flecha del fuego secreto, el águila, el andrógino y la triple serpiente que domina los tres reinos. La secuencia muestra tan sólo una pequeña parte de la riqueza de la imaginería alquímica. Nos llevaría toda una vida el tratar de explicar estos grabados; por otra parte, poseen tanta coherencia y tanta fuerza imaginativa que hablan por sí solos.

J. D. Mylius, *Philosophia reformata,* 1622, Museo Británico, Londres (libros impresos), 1033, i.7, págs. 96, 107, 117, 126, 167, 190, 216, 224, 243, 262, 281, 300, 316, 354, 359, 361.

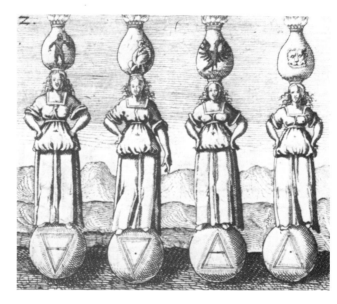

Putre factio.

4. Gradus.

Congelatio.

Cibatio.

Sublimatio.

Fermentatio.

Exaltatio.

Multiplicatio.

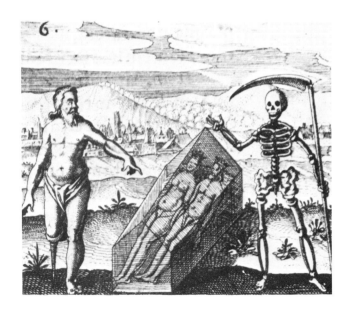

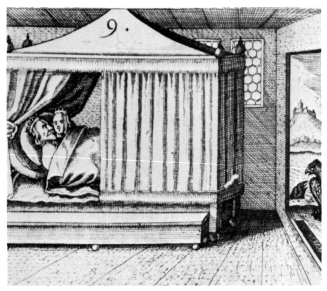

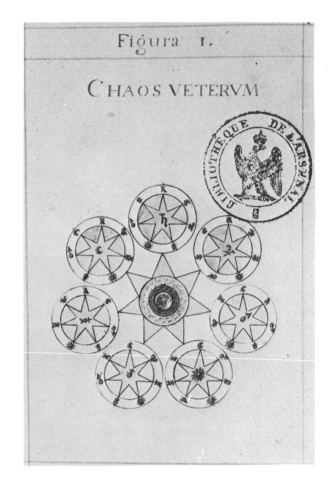

2 La transmigración eterna

La belleza del manuscrito *De summa,* que se encuentra en el Arsenal de París, es tal, que no podemos sustraernos a reproducirlo en su totalidad. Dos de las ilustraciones (XXXVII y XXXVIII) están reproducidas en color; son las que llevan los números 49 y 50.

Aparece aquí ilustrada la transmutación de los Elementos en su totalidad; pero recordemos una vez más que no todo ha de interpretarse literalmente. En realidad, sólo podemos ver dos Elementos: la Tierra, que contiene el Fuego, y el Agua, que contiene el Aire; estos son los dos elementos que experimentan transmutaciones. El Agua hace que la Tierra se convierta en un líquido que, a su vez, debe volver a convertirse en Tierra. En el estado líquido, lo fijo se hace volátil y al reducirse y convertirse en Tierra, se fija lo volátil. El eterno proceso de transmigración o sublimación está simbolizado por la paloma que vuela hacia arriba y hacia abajo. La conjunción y la separación están representadas por las llamadas águilas o sublimaciones repetidas. Hay siete parejas de operaciones en este manuscrito y corresponden a las siete águilas que preceden a la exaltación de la Quintaesencia (ilustración 50).

Sapientia veterum philosophorum sive doctrina eorundem de summa et universali medicina, siglo XVIII, Bibliothèque de L'Arsenal, París, Ms. 974, fig. i-xxxvi, xxxix, xl.

Figura III.

DISTILLATIO PHYSICA

Figura IV.

PRÆPARATIO PHYSICA

Figura V.

DE DIVISIONE

Figura VI.

ACVATIO

Gabriel

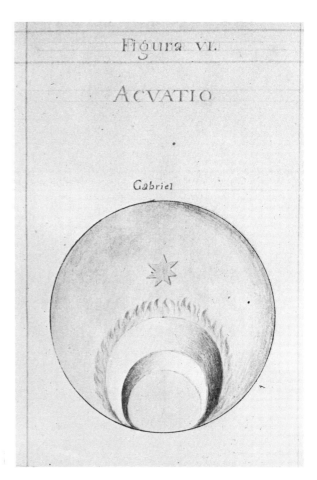

Figura VII.

LEO VIRIDIS

Figura VIII.

COITVS

Virtutes

Figura IX.

LAPIS TRI-VNVS

Figura X.

CALCINATIO

Figura XI.

SVBLIMATIO

Figura XII.

SOLVTIO

Figura XIII.

GENERATIO

Figura XIV.

PVTREFACTIO

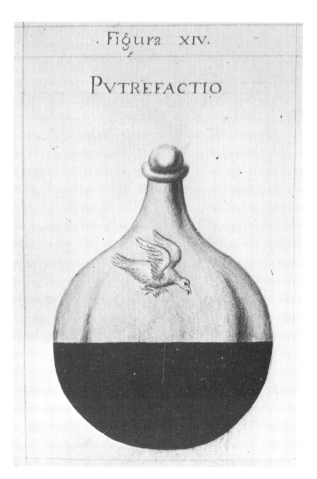

Figura xv.

CONCEPTIO

Figura XVI.

IMPRÆGNATIO

Hierarchiæ   Ephioma

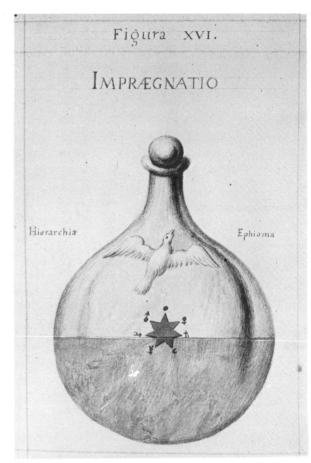

Figura XVII.

FERMENTATIO

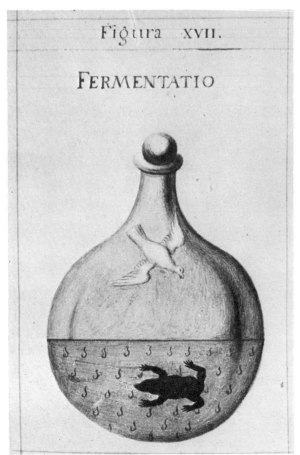

Figura XVIII.

SEPARATIO

Ignis
Aër
Aqua
Terra

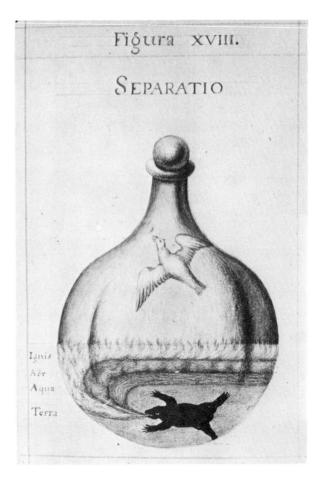

Figura XIX.

CONIVNCTIO

Ignis
Aer
Aqua
Terra

Figura XX.

SEPARATIO

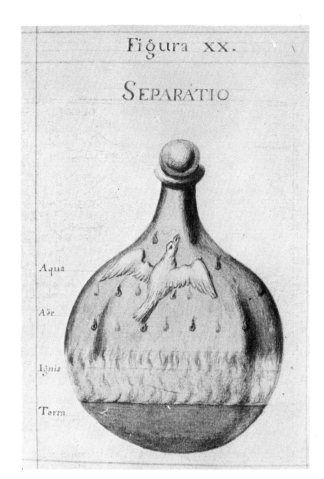

Aqua
Aër
Ignis
Terra

Figura XXI.

CONIVNCTIO

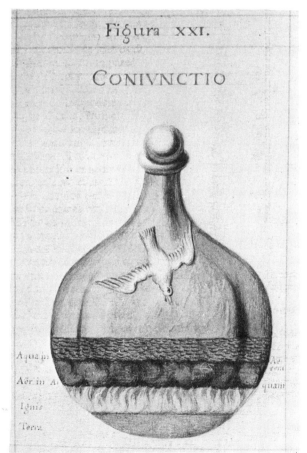

Aqua in
Aër in A·
Ignis
Terra

Aërem
quam

Figura XXII.

SEPARATIO

Ignis
Aqua
Aer
Terra

Figura XXIII.

CONIVNCTIO

Aer in

Ignis in

Aquam

Terra

Igem

Aquam

Aerem

Figura XXIV.

SEPARATIO

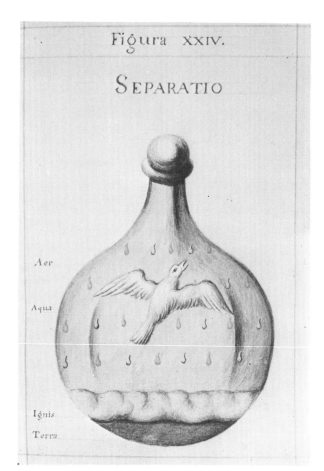

Aer

Aqua

Ignis

Terra

Figura XXV.

CONIVNCTIO. COMIXTIO

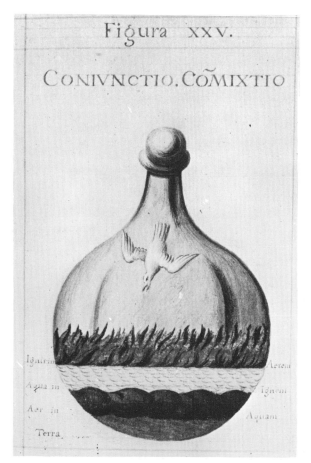

Ignem

Aqua in

Aer in

Terra

Aerem

Ignem

Aquam

Figura XXVI.

SEPARATIO

Figura XXVII.

IGNIS INNATVRALIS

Figura XXVIII.

ORTVS

Figura XXIX.

FERMENTATIO

Figura XXX.

PVRGATIO

Figura XXXI.

SEPARATIO

Aqua in
Ignis in

Aerem
Aquam

Terra in
Aer in

Ignem
Terram

Figura XXXII.

CONIVNCTIO

Aer
Aqua
Ignis
Terra

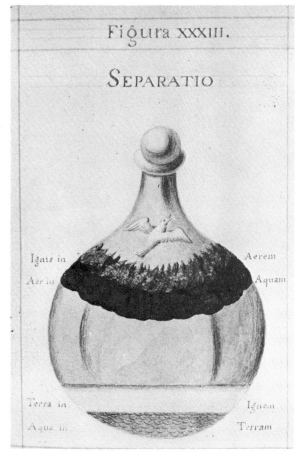

Figura XXXIII.

SEPARATIO

Ignis in
Aer in

Aerem
Aquam

Terra in
Aqua in

Ignem
Terram

Figura XXXIV.

CONIVNCTIO

Aer
Aqua
Ignis
Terra

Figura XXXV.

SEPARATIO

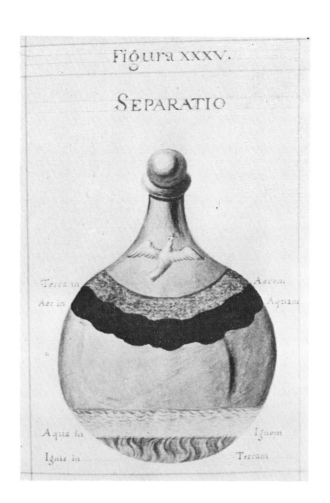

Terra in   Aerem

Aer in   Aquam

Aqua in   Ignem

Ignis in   Terram

Figura XXXVI.

CONIVNCTIO

Terra

Aer

Aqua

Ignis

Figura XXXIX.

FIXATIO

Figura XL.

PROIECTIO. CERATIO

3 El desarrollo de la Obra

Las ilustraciones 25-28 y 63 muestran las primeras y las últimas etapas de la Obra, desde el caos original hasta las «Rosas» Rojas y Blancas. Las ilustraciones que se exponen a continuación pertenecen al mismo manuscrito y recogen algunas de las etapas intermedias, así como algunas citas de los maestros de la alquimia. Puede observarse la negrura en la que el sujeto se ahoga y se pudre (primera ilustración). La Cabeza del Cuervo *(caput corvi)* hace referencia al momento en que emerge de la negrura (ver ilustración 17). Los gusanos que se devoran unos a otros significan, como dice Arnaldo de Villanova, que la corrupción de uno es la generación de otro; en el interior del Huevo las aguas inundan la tierra. El niño que aparece en la oscuridad del interior del Huevo es Mercurio; la Cola del Pavo Real aparece sobre las aguas blancas; una flor con siete puntas brota de entre las cenizas.

Johannes Andreae, siglo XV, Museo Británico, Londres, Sloane 2560, f. 8, 9, 10, 11, 12, 13.

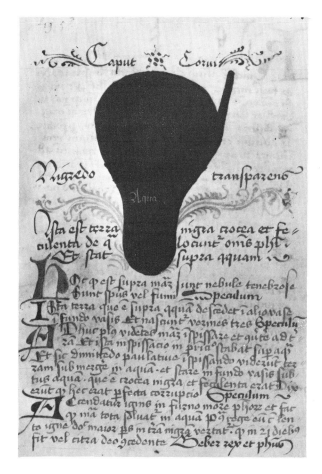

Caput Corui

Nigredo — transparens

Aqua

Ista est terra nigra crocea et fe- tulenta de q. lo aunt. ois phi. Et stat supra aquam.

fig. 6

Caput Corui

Aqua

fig. 8

Sulphur Domus — phorum tenebrosa

Aqua

fig. 9

Cinis Cinere

4 Diagramas cósmicos

El autor del *Sylva philosophorum* (ver ilustraciones 51-52) lo describe de la siguiente forma: «Una descripción de la tintura universal o Piedra de los Sabios, que por sus poderes puede ser utilizada para conseguir que todos los metales imperfectos alcancen la perfección eterna y se transmuten en oro y plata. Cornelius Petraeus de Hamburgo, estudioso de la Filosofía Hermética, ha demostrado la infalibilidad y la veracidad de este Arte, refutando así las teorías de los detractores de esta noble doctrina secreta, y ha compilado todos los conocimientos que sobre él se tienen para beneficio de los amantes de la Naturaleza.» Los diagramas representan, respectivamente, a Dios *(Deus)*, el Universo *(Macrocosmus)*, los Cuatro Elementos *(Terra, Aer, Ignis, Aqua)*, el Hombre *(Homo)*, la Naturaleza *(Natura)*, el Alma *(Anima)*, la Semilla de la Obra *(Semen)* y la Piedra Filosofal *(Lapis Philosophorum)*.

El texto bíblico que aparece a continuación está extraído del Deuteronomio XXXIII: 13-16. «Bendita de Yahvé sea su tierra, de lo mejor del cielo arriba; abajo, de las aguas del abismo; de lo mejor de los frutos que madura el sol, de los frutos selectos de la luna, de lo mejor de los viejos montes, de lo mejor de los antiguos collados, de los dones exquisitos de la tierra y de su abundancia.»

Cornelius Petraeus, *Sylva philosophorum*, siglo XVII, Bibliotheek der Rijksuniversiteit, Leiden, Cod. Voss. chem. q. 61, f. 1, 4-12.

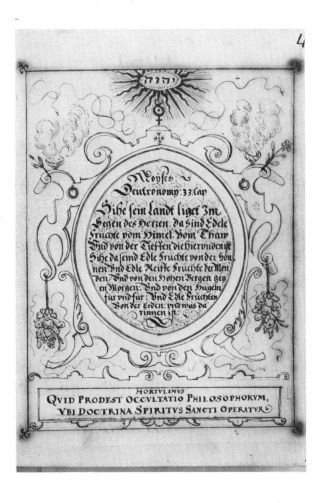

DEVS EST VNVS, IN TRINITATE
ET TRINVS, IN VNITATE

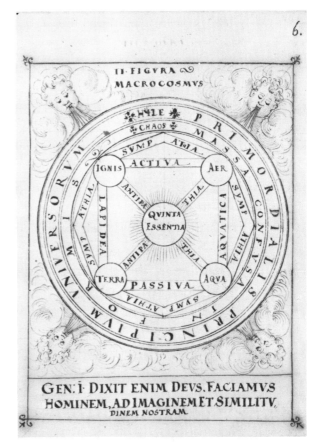

II· FIGVRA
MACROCOSMVS

GEN: I· DIXIT ENIM DEVS. FACIAMVS
HOMINEM, AD IMAGINEM ET SIMILITV.
DINEM NOSTRAM

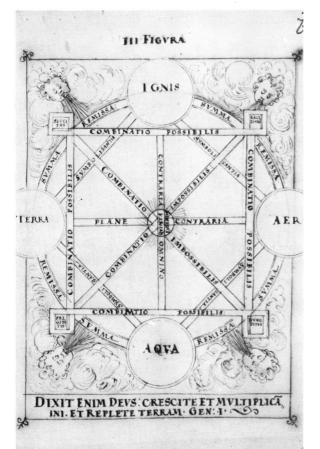

III· FIGVRA

DIXIT ENIM DEVS: CRESCITE ET MVLTIPLICA,
INI· ET REPLETE TERRAM· GEN: I·

IIIII· FIGVRA

GERMINET TERRA HERBÃ VIRENTEM ET FACIENTÉ, SEMEN,
ET LIGNVM FACIES FRVCTV IVXTA GENVS SVV, CVIVS SĔEN IN SEMETIPSO
SIT SVPRA TERRAM: GEN: I·

NATVRA EST QVÆDAM RES, INSEMINATA REBVS
EX SIMILIBVS SIMILIA PROCREANS

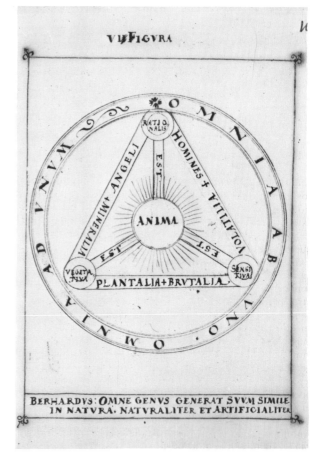

BERHARDVS: OMNE GENVS GENERAT SVVM SIMILE
IN NATVRA. NATVRALITER ET ARTIFICIALITER

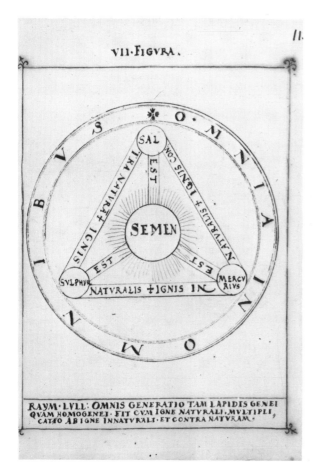

RAYM. LVLL: OMNIS GENERATIO TAM LAPIDIS GENEI
QVAM HOMOGENEI. FIT CVM IGNE NATVRALI, MVLTIPLI,
CATIO AB IGNE INNATVRALI. ET CONTRA NATVRAM.

MESOCOSMVS

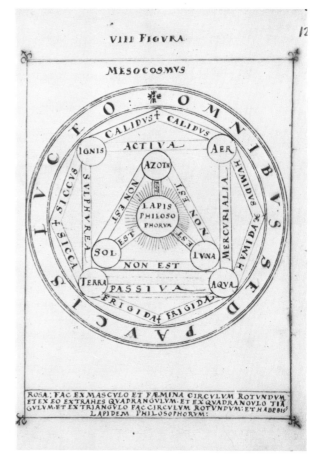

ROSA: FAC EX MASCVLO ET FÆMINA CIRCVLVM ROTVNDVM
ET EX EO EXTRAHES QVADRANGVLVM. ET EX QVADRANGVLO TRI
GVLVM. ET EX TRIANGVLO FAC CIRCVLVM ROTVNDVM: ET HABEBIS
LAPIDEM PHILOSOPHORVM:

5 Las operaciones

Anteriormente nos hemos centrado en los aspectos artísticos y simbólicos de la iconografía alquímica. A continuación se muestra una colección de diagramas técnicos de extraordinaria precisión; son diagramas de hornos, aludeles, crisoles y otros aparatos. Esto servirá para recordarnos que el trabajo de laboratorio es completamente necesario. Existen dos procedimientos o caminos principales. El primero, que se describe en las páginas 10-12 de este libro, se conoce como el Camino Húmedo. Es más largo que el otro, pero muchos lo prefieren; su característica principal consiste en que el sujeto debe encerrarse herméticamente en un recipiente de vidrio. El Camino Seco al parecer es más corto, pero como las operaciones se realizan en un mortero abierto, resulta más peligroso y requiere una gran pericia. En los textos con frecuencia se hace alusión a un tercer camino o camino «relámpago», que precisa que el operador posea un cuerpo incorruptible, capaz de resistir fuerzas muy poderosas.

Anónimo, siglo XV, Museo Británico, Londres, Harley 2407, f. 106v.-111.

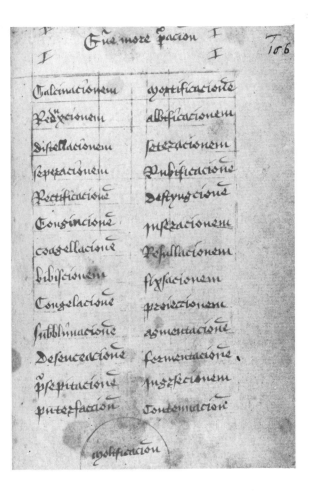

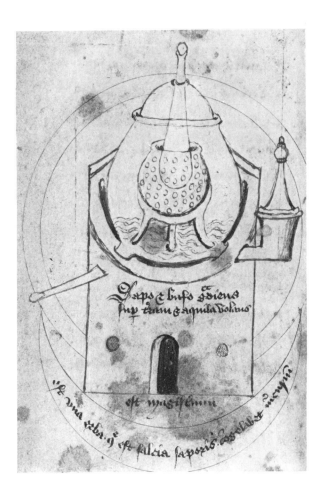

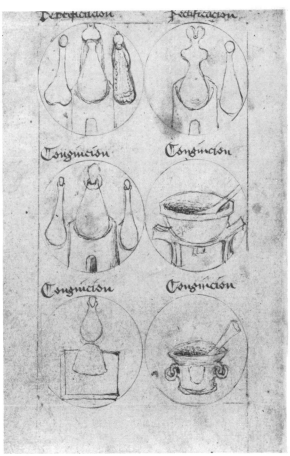

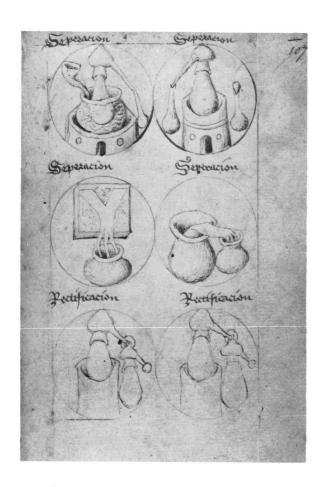

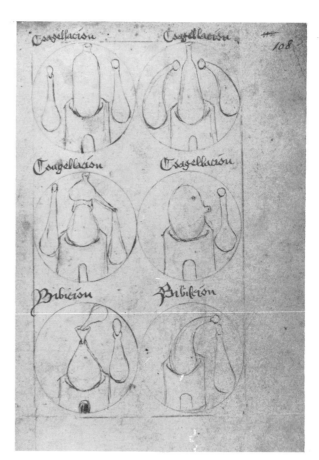

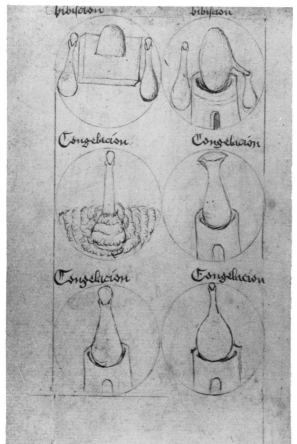

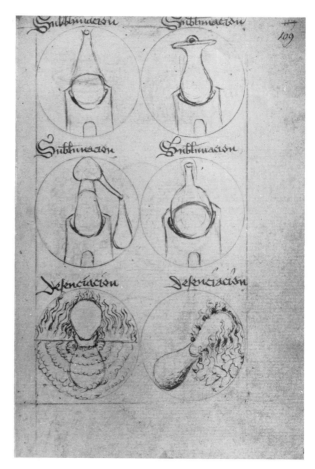

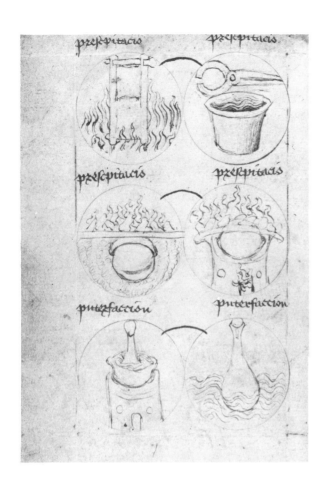

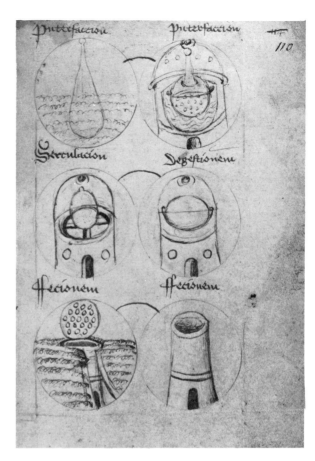

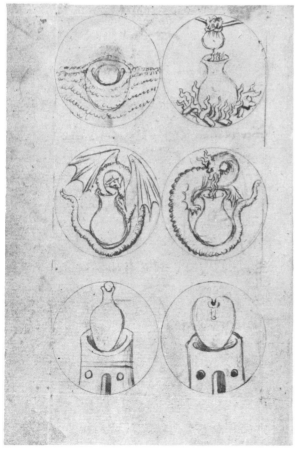

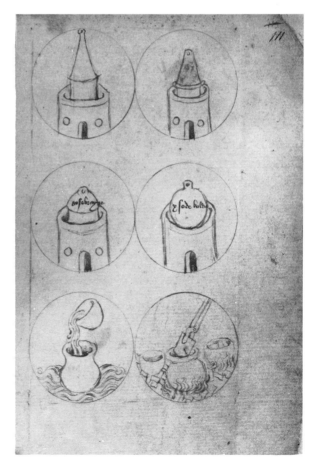

6 El lenguaje simbólico

Reproducimos este glosario a fin de que el lector se haga una idea de la variedad de símbolos crípticos que utilizan los alquimistas, quienes los llaman signos criptográficos y espagíricos. A los símbolos de los metales les siguen los de algunas otras sustancias químicas y los de los procesos.

El párrafo introductorio (que aparece en la parte inferior de la página) sirve para recordarnos la comparación que se establecía entre los siete metales conocidos en la antigüedad y siete de los cuerpos celestes. El oro *(aurum)* es el sol; la plata *(argentum)* es la Luna; el azogue *(argentum vivum)* es Mercurio; el cobre *(cuprum)* es Venus; el estaño *(stannum)* es Júpiter; el plomo *(plumbum)* es Saturno; el hierro *(ferrum)* es Marte. En los libros alquímicos de arte y literatura aparecen con frecuencia otros símbolos, entre los que se incluyen los del antimonio (con su misterioso orbe real, símbolo del dominio), el fuego *(ignis),* el agua *(aqua),* la destilación, la solución, la sublimación, la sal armónica *(sal harmoniacum,* cuyo símbolo es la Estrella de Belén; véase ilustración 44) y el azufre (véase ilustración 10). Ha de tenerse en cuenta que los nombres y los símbolos que se utilizan en la alquimia tienen más de un significado; con frecuencia se alude a sustancias que «no son de las vulgares» (véase también el comentario a la ilustración 31).

Anónimo, siglo XVI, Bibliotheek der Rijksuniversiteit, Leiden, Cod. Voss. chem. q. 51, f. IV.-3v.

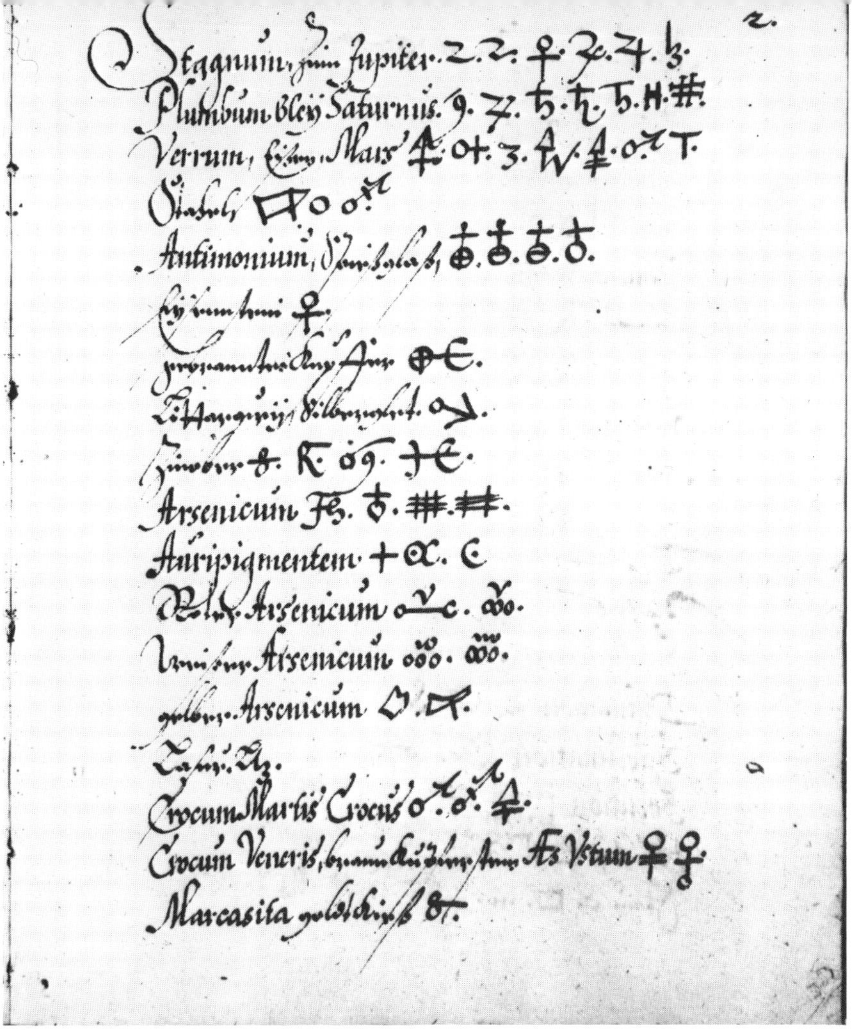

2.

Stagnum, zÿnn Jupiter. ⚁ ⚁ ♃ ♃ ♃ ♄

Plumbum, bleÿ Saturnus. ♄ ♃ ♄ ♄ ♄ ♄ ♯

Ferrum, eÿsen Mars ♂ ♂ ♂ ♂ ♂ ♂ ♂ ♂ ♂

Stahel ☐ ☐ ☐

Antimonium, Spiessglass ♁ ♁ ♁ ♁

Zÿn hüni ♀

granatus Zinn ☉ ℮

Mercurius silbernÿ ☿

Zinober ☿ ℞ ☿ ☿ ℮

Arsenicum ℞ ♄ ♯ ♯

Auripigmentum ✚ ☿ ℮

Roth Arsenicum ☉ ☿ ☿

Weiss Arsenicum ☉☉☉ ☉☉☉

gelbus Arsenicum ☉ ☿

Zafer Az

Crocum Martis Crocus ☉ ☉ ♂

Crocum Veneris, brann Vitrium ♀ ♀

Marcasita goldschüss ♄

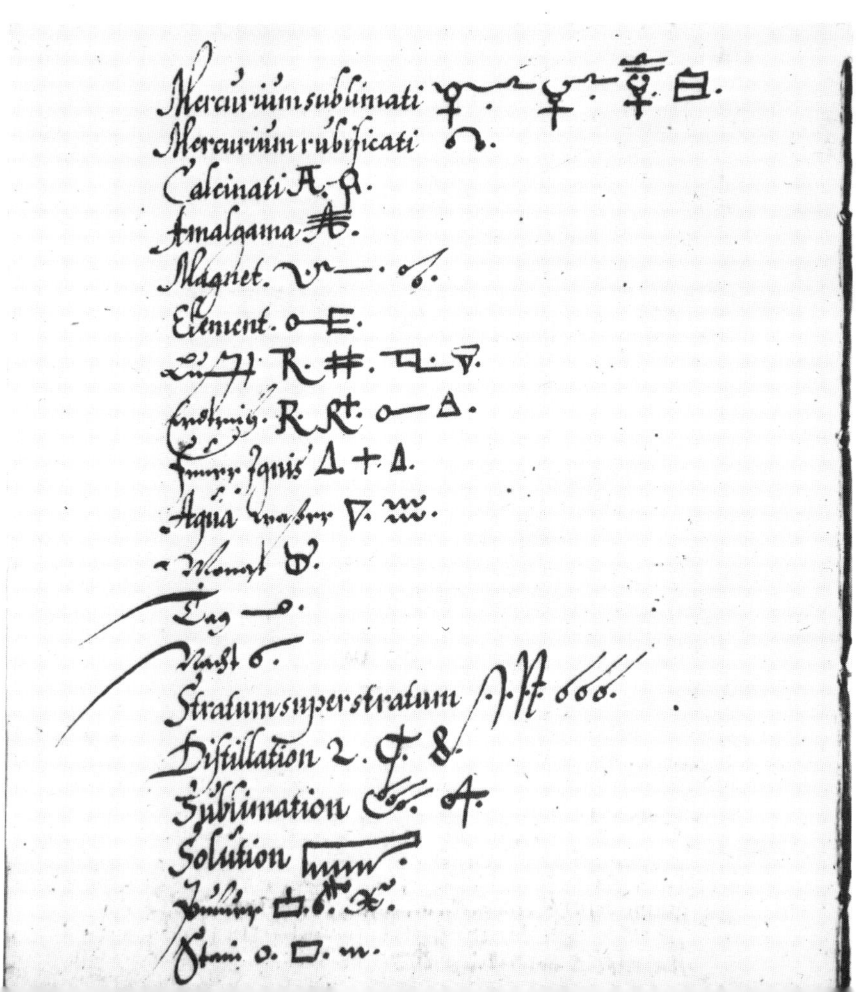

Mercurium sublimati ☿ ☿ ☿ ☿ ☐

Mercurium rubificati ☿

Calcinati ℞ ☿

Amalgama ℞

Magnet ☿ — ☿

Element ☉ ℮

℞ ℞ ♯ ☿ ☿

℞ ℞ ☉ — △

Ignis △ ✚ △

Aqua ▽ ☿

Monat ♉

Tag ☉

Nacht ☽

Stratum superstratum ♄ ♄ 666

Distillation 2 ♀ 8

Sublimation ☿ ♃

Solution ∿∿∿

☿ ☿ ☿

Salz ☉ ☐ ☿

127

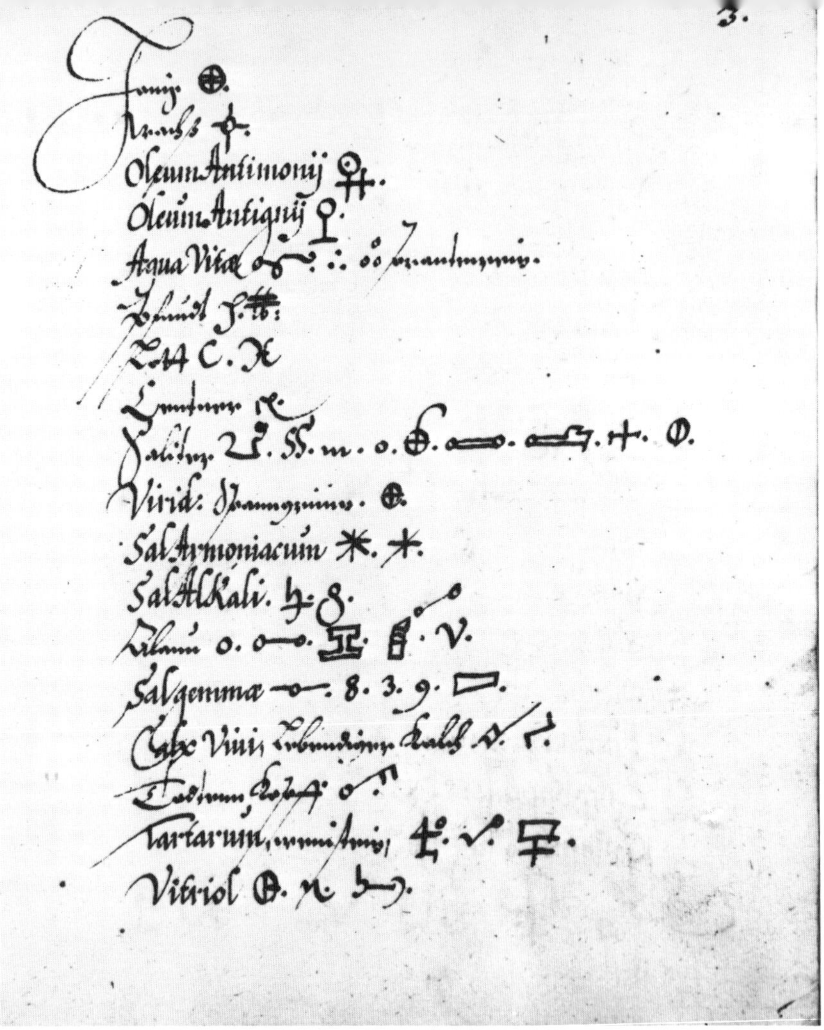

3

Ignis ⊕

Tinaß ♄

Oleum Antimonij ♆

Oleum Antiquij ♀

Aqua Vitæ ☌ ⁖ ◌ō brantwein.

Zimel ♃ ℔

Zinc C. X

Zuckerr ℞

Salitr. ♃ ℥ m. o ⊕ ⊖ ⊷ ♆ ☉

Virid: Hispanicum ⊕

Sal Armoniacum ✳ ✳

Sal Alkali ♄ 8

Alumen o o ⊶ ⯒ ▯ V.

Sal gemmæ ⊶ 8 3 9 ▭

Calx Viui calcinat. ♉

Tartarum cumistis ♃ V ♇

Vitriol ⊖ ⋏ ♄

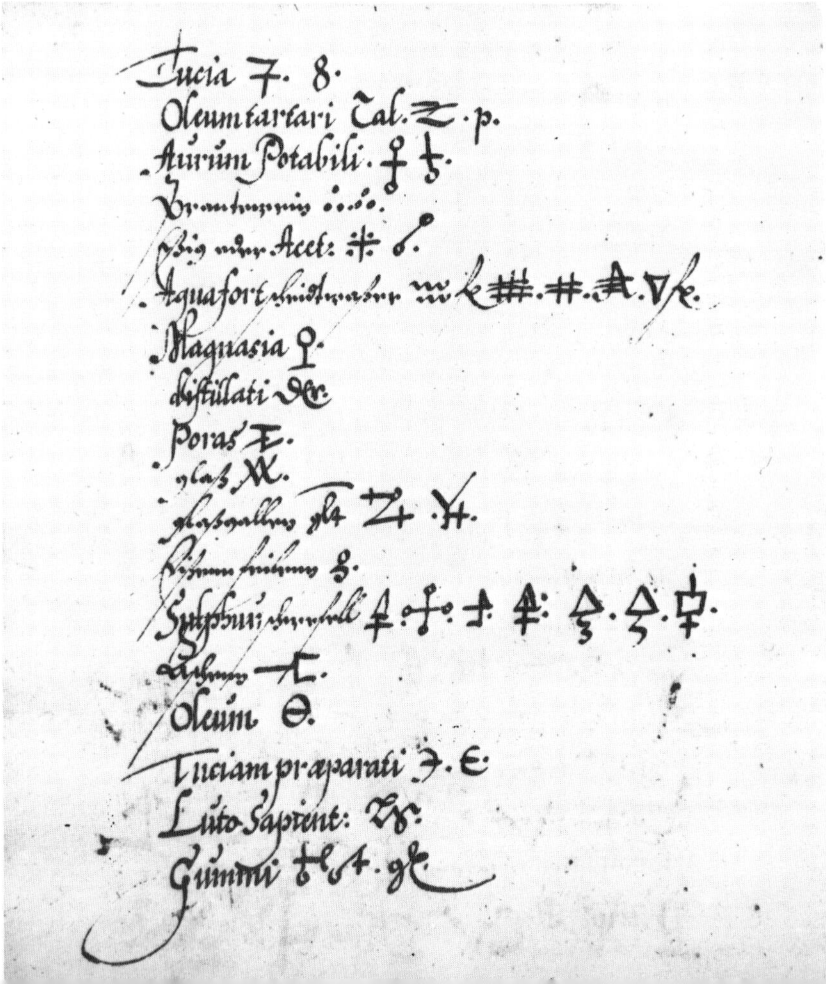

Lucia 7 8

Oleum tartari ℅al Z p.

Aurum Potabili ♁ ♄

Brantwein ⁖ ◌

Acet ✳ 8

Aquafort ⋒ ♈ ♯ ♯ ♈ V

Magnasia ♀

distillati ℞

Poras ♉

glas ℞

glasgallus glt Z ♆

h

Sulphur ♈ ♁ ♈ ♈ ♈ ♈ ♇

♉

Oleum ⊖

Luciam præparati ♓ €

Luto Sapient. ♈

Gummi ♄ ♈ ♈